Canaletto

Text: nach Octave Uzanne
Übersetzer: Georg Robens
Redaktion der deutschen Ausgabe: Klaus H. Carl

Layout:
Baseline Co. Ltd
7/I Thanh Thai Street
4. Etage
Distrikt I0, Ho Chi Minh City
Vietnam

ISBN: 979-8-89405-472-8

Gedruckt in

Octave Uzanne

Canaletto

Von Venedig bis London, der Blick auf eine Welt voller Pracht

Inhalt

Alfred de Musset

(1810-1857)

Venedig

Venezia, du rothe,
Wie still sind deine Boote!
Kein Fischer treibt sein Amt,
Kein Lichtchen flammt.

Nur an dem Uferplatze
Hebt seine eh'rne Tatze
Der Löwe wie zum Lauf
Gewaltig auf.

Darunter ruh'n in Gruppen
Die Gondeln und Schaluppen
Wie Reiher, die der Schlaf
Am Wasser traf.

Und aus den Fluthen rauchend,
Die Pavillons umhauchend,
Steigt silberweiß empor
Der Nebelflor.

Der Mond ist am Verschwinden,
Um seine Stirne winden
Sich Wolken grau und falb,
Ihn deckend halb.

So macht sich die Kaputze
Die Äbtissin zu Nutze,
Schlingt um ihr alt' Gesicht
Die Falten dicht.

Die Straßen und die Gassen,
Paläste und Terrassen,
Die Steingebilde all
An Chor und Wall,

Die Brücken und die Stege,
Die Treppen und die Wege,
Die Golfe, die der Wind
Kräuselt so lind,

Sie schweigen. Nur die Garden
Mit langen Hellebarden
Bewachen schwer in Stahl
Das Arsenal.

Jetzt späht wohl mehr als Eine
Im bleichen Mondenscheine
Hinunter auf den Platz
Nach ihrem Schatz.

Gar Manche hinterm Riegel
Prüft jetzt vor ihrem Spiegel,
Wie, wenn zum Ball sie geht,
Die Maske steht.

Mit weichem Arm umkettet,
Auf duftigen Flaum gebettet,

Ihr Lieb Vanina nun
In süßem Ruhn.

Und in verschwieg'nem Nachen
Mit Scherzen und mit Lachen
Kost, bis der Morgen graut,
Narcissa traut.

Wer sollt in welschen Sphären
Kein Körnchen Torheit nähren?
Nicht froh sein bestes Sein
Der Liebe weih'n?

Dem alten Dogen zähle
Schlafloser Nacht Gequäle
Mit trägem Schlage nur
Die alte Uhr.

Ich aber, Liebchen, müsse
Zählen all die Küsse,
Die mir dein Mündchen weiht…
Oder verzeiht;

Nur zählen all die Thränen,
Die uns erpresst das Sehnen,
Die weinen wir gemusst
Vor lauter Lust!

1. *Venedig, La Piazzetta, von San Giorgio Maggiore aus gesehen,* gegen 1724. Öl auf Leinwand, 173 x 134,3 cm. Royal Collection Trust, London. (S. 6)

2. *Mündung des Canal Grande, Venedig,,* gegen 1730. Öl auf Leinwand, 48,3 x 73,7 cm. Museum of Fine Arts, Houston. (S. 8)

Venedig im 18. Jahrhundert

Die venezianische Gesellschaft

Jeder, der sich für das 18. Jahrhundert zu begeistern vermag, weiß um den besonderen Charme, der von Venedig ausgeht. Tatsächlich könnte man sich keine traumhaftere Kulisse für eine sinnenfreudige Gesellschaft vorstellen, die in den Tag hineinlebt und gerne jede Gelegenheit zur Zerstreuung ergreift. Welche Umgebung wäre besser geeignet, Dichter und Maler zu inspirieren? Der Schriftsteller findet hier ebenso großartige Motive wie der Maler und der Goldschmied. Théophile Gautier war vom Stadtbild und der lebendigen Art der Einwohner so angetan, dass er sich lange Zeit mit dem Projekt trug, die Dogenstadt in einer die Sitten dieser leichtfertigen und überschwänglichen Bevölkerung naturgetreu nachzeichnenden Erzählung zu beschreiben und literarisch aufleben zu lassen. Wenn dieser Roman jedoch, obwohl er die Fantasie des Meisters so oft beschäftigte, nie geschrieben wurde, so sehen wir zumindest die Bühne dafür in den Bildern von Canaletto, so stehen uns zumindest die in die Erinnerungen seiner Zeitgenossen eingestreuten Einzelheiten zur Verfügung. Es bleiben uns die Zeugnisse der am besten informierten Zeitzeugen – wie etwa Carlo Goldoni, Carlo Gozzi oder Giacomo Casanova –, die allesamt eine Gewinn bringende Lektüre sind, oder noch besser, die der Reisenden, die es verstehen, zu sehen und zu erzählen, wie Charles de Brosses oder François Joachim de Pierre de Bernis.

Trotz des leichten und manchmal spöttischen Tons zeichneten die Briefe von de Brosses in der Mitte des 18. Jahrhunderts ein höchst attraktives Porträt von Italien. Charles de Brosses war im Frühjahr 1739 in Begleitung mehrerer Adliger aufgebrochen und nutzte die zehnmonatige Reise als Mann von Geist, der er war, ebenso zu seinem Vergnügen wie zu seiner Bildung. Schon im Alter von einundzwanzig Jahren war er Rat geworden; nun war er dreißig Jahre alt und mit einer Sinnenschärfe begabt, wie sie nur jungen Menschen eigen ist. Zu seinem soliden Allgemeinwissen kamen, wie aus seinen Briefen hervorgeht, eine große Klarsicht und eine höchst zuverlässige Urteilskraft hinzu. Bevor er Präsident des Parlaments in Dijon wurde, war er von Venedig so begeistert, dass er sich mit dem Gedanken trug, sich als Botschafter bei der *Serenissima Repubblica* zu bewerben. Da jedoch dieser Beobachtungsposten inmitten des südlichen Europas ein heikles Amt war, überlegte er es sich anders, und fünfzehn Jahre später erhielt es der Abbé de Bernis.

Als guter Menschenkenner und daher selbst nicht gerade leicht zufriedenzustellen, gelang es Bernis, sich durch seine Geschäftsführung während seiner kurzen Amtszeit die Anerkennung seiner Regierung für seinen Charakter und seine Fähigkeiten zu erwerben. Er blieb daher noch lange nach seinem Weggang in Erinnerung. In seinem Streit mit Venedig berief ihn Papst Benedikt XIV. (1675-1758) zum Vermittler. Der spätere Kardinal wurde umgehend von der gegnerischen Partei anerkannt, konnte die Differenzen zwischen Rom und Venedig zur Zufriedenheit der beiden Mächte beilegen, und ohne Zweifel trug sein erfolgreiches Einschreiten dazu bei, dass er die hohe Kirchenwürde erhielt. Die von dem Botschafter Bernis während seiner Amtszeit redigierten Depeschen sind aussagekräftig, voller subtiler Bemerkungen und in einem hervorragenden Französisch gehalten; sie gefielen Ludwig XV. (1710-1774), und da der König seinen Repräsentanten auch für wichtigere Dienste als geeignet hielt, rief er ihn 1757 nach Frankreich zurück.

Bevor wir nun das Leben und Werk von Giovanni Antonio Canal näher betrachten, empfiehlt es sich, sich ein Bild von seiner Geburtsstadt und von seinen Zeitgenossen zu machen, besonders, da die Künste, die Literatur und die Zerstreuungen damals, vielleicht mehr denn je, eine gemeinsame

3. *Der Canal Grande,*
Richtung Rialtobrücke,
Venedig, gegen 1730.
Öl auf Leinwand, 49,5 x 72,5 cm.
Museum of Fine Arts, Houston.

4. *Canal Santa Chiara, Richtung Norden,*
bis zur Lagune, gegen 1723-1724.
Öl auf Leinwand, 46,7 x 77,9 cm.
Royal Collection Trust, London.
(S. 12-13)

Entwicklung durchmachten. Denn nur dann kann man Ursprung und Entwicklung der Begabung, des Intellekts und der Arbeitsweise des Meisters wirklich verstehen, wenn man vorher die Gesellschaft untersucht hat, der er angehörte.

Bei der ersten Begegnung mit der Geschichte Venedigs kann man nicht anders, als Bewunderung empfinden für die kraftvolle Energie und für den Ausdehnungswillen des venezianischen Volkes, das innerhalb so enger Grenzen lebt. Die Stadt wurde von einem glühenden Patriotismus bewegt; der Wohlstand und die Existenz eines jeden Einzelnen vermischten sich mit den Interessen des Stadtwesens. Die Anfänge dieses Marktfleckens von Flussschiffern waren allerdings äußerst bescheiden, die Sandbänke waren unfruchtbar, auf denen die ersten Banden Flüchtiger sich niederließen. Und doch ist nichts so außergewöhnlich wie diese Republik, die auf dem Höhepunkt ihrer Macht in der Lage war, Flotten mit immerhin fünfhundert Segeln an den Bosporus zu entsenden, dreitausend Schiffe in einem Verband auf den Weg zu schicken, und eine eigenständige künstlerische Ausdrucksweise voll der verschiedenartigsten Elemente hervorzubringen. Auf diese Weise errang sich Venedig einen Platz unter den großen europäischen Königreichen. Zwar ohne Tore und Befestigungsanlagen, war die Stadt dennoch vor den Kriegsschiffen durch die Untiefen ihrer Lagunen sicher und blieb uneinnehmbar für deren Armeen. Sie hatte jeweils ein Standbein im Orient und auf Zypern und führte die Kreuzzüge an den Küsten des Mittelmeers, auf dem Peloponnes und auf Kreta weiter, und ihre Soldaten gaben den Kampf gegen die „Ungläubigen" nie auf; bei Lepanto brachte Venedig allein die Hälfte der christlichen Flotte auf.

Zwar hielt der Militärgeist, der in den angrenzenden Fürstentümern rasch erlosch, in Venedig noch länger vor, aber das Prestige der Stadt nahm ab. Die großen Entdeckungen der Seefahrer hatten für den venezianischen Handel verhängnisvolle Folgen, und den Handelsaustausch mit Asien übernahmen bald die Portugiesen. Die Politik einer Oligarchie, die auf die Vergnügungssucht des Volkes Rücksicht nahm, setzte schließlich den kriegerischen Handlungen und dem Machthunger der Stadt ein Ende.

Mit dieser Regierung bringt man nicht nur Luxus, Prestige und die Schrecken der Folter, sondern auch die grausame Polizei und die geheimen Verliese in Verbindung – mit einem Wort: all die äußeren Bereiche, denen die Romantik den Stoff für zahllose Bilder und Dramen verdankt. Man weiß Bescheid über den *Rat der Zehn* und auch über den Saal, in dem die Richter nur nachts und maskiert zusammenkamen, den der Angeklagte dann verließ, um für immer in den Bleikammern unter den Dächern des Dogenpalastes zu verschwinden, aus denen Casanova nur durch eine an ein Wunder grenzende Willensanstrengung entkam.

Was wurde nicht alles über die drei Inquisitoren des Staates gesagt, über ihre unwiderruflichen Urteile, über die Barke mit der roten Laterne unter der Seufzerbrücke, die über die *Giudecca* hinaus zum *Canal Orfano* fuhr, dessen Tiefen die Opfer und ihre Geheimnisse verschlangen und in denen es den Fischern verboten war, ihre Netze auszuwerfen. Eine Reihe von Pfählen zeigte übrigens den Ort an, an dem die Barke hielt, und auf einem der Pfähle steht heute noch, zusammen mit einer von den Gondoliere unterhaltenen Lampe, eine kleine Kapelle, an der der Gemarterte sein letztes Gebet verrichtete.

Im 18. Jahrhundert trug diese Politik endgültig den Sieg davon. Die glanzvollen Zeiten waren vorbei und den großen Künstlern war die Laufbahn ebenso versperrt wie den großen Patrioten.

5. *Mündung des Canal Grande, vom Ende des Kais aus gesehen, Venedig*, 1742-1744. Öl auf Leinwand, 114,5 x 153,5 cm. National Gallery of Art, Washington, D.C.

6. *Der Canal Grande, vom Palazzo Foscari aus gesehen,* gegen 1735.
Öl auf Leinwand, 57,2 x 92,7 cm.
Privatsammlung.

7. *Der Canal Grande, Richtung Südosten, vom Campo Santa Sofia bis zur Rialtobrücke,* gegen 1756. Öl auf Leinwand, 118 x 188 cm. Gemäldegalerie, Staatliche Museen zu Berlin, Berlin.

Vergeblich erwarb sich Francesco Morosini [1] durch seine Heldentaten im Peloponnes und auf Kreta den Beinamen 'Peloponnesiacus'; vergeblich erwarb sich der alte Marschall von Schulenburg, der achtundzwanzig Jahre lang General der republikanischen Armeen gewesen war, die Ehre einer Reiterstatue auf dem *Campo Corfu*; der Löwe von San Marco zog die Krallen ein und die Königin der Adria fiel in einen Zustand unbekümmerter Sinnlichkeit, den allenfalls die Schellen der Maskeraden stören konnten. Im Übrigen sorgte die Herrschaft dafür, dass das Volk in ein System unaufhörlicher Vergnügungen eingebunden wurde. Sie sah darin einen Schutz vor den Intrigen, die sicherste Art, die Gemüter von beunruhigenden Sorgen abzulenken. Für die Venezianer, die einen natürlichen Hang zum Luxus und zur Selbstdarstellung haben, und die sich zwischen die grenzenlose Freiheit des Vergnügens und das absolute Verbot, die Handlungen der Machthaber zu erörtern, gestellt sahen, wurden die unaufhörlichen Feste und die lärmenden Freuden zu einer Notwendigkeit. In diesem Hof der Kythera, die keinen Jean Antoine Watteau hatte, war die Fröhlichkeit im Überfluss vorhanden und der Niedergang war zumindest glanzvoll und angenehm, gleich einem Abend an den Gestaden der Lagune.

Der Karneval

Über sechs Monate hinweg lockte der Karneval einen Besucherstrom von bis zu dreißigtausend Menschen nach Venedig. Sollen die ernsten Geschäfte doch ruhen – hochleben sollen Freiheit und Narretei! Vom Rüpel bis zum Patrizier schienen alle in den gleichen Taumel zu verfallen. In lärmenden Paraden zogen die als Doktoren, Astrologen, Rechtsanwälte oder Gondoliere verkleideten an den Zuschauern vorbei. Die geschicktesten unter den Narren mit ihren riesigen kegelförmigen Hüten liefen auf den Händen, andere wiegten ihre Hüften zum Klang ihrer Drehleiern und alle ließen sie sich von der schwungvollen Musik wirbelnd mitreißen. Das Volk bekundete lauthals sein Missfallen oder seine Zustimmung und feuerte jede Gruppe mit lautem Rufen, mit Applaus, Pfiffen und Späßen an. Auf dem Markusplatz, dem Treffpunkt der Maskierten, trat man sich auf die Füße und kam nicht voran. Die sieben üblichen Theatersäle reichten nicht mehr aus, die Harlekine führten ihre derben Possen im Freien aus, Komiker amüsierten die Schaulustigen mit groben, improvisierten Späßen. Auf jedem noch so kleinen Platz sah man Jongleure oder Kraftakte. Gegen Ende des Karnevals waren viele Leute mit Beilen oder kurzen Säbeln bewaffnet unterwegs, mit denen sie sich im Notfall gegen die Stiere wehren konnten, die durch die Straßen zu verschiedenen Kampfplätzen geführt wurden.

Am *Giovedi Grasso*, dem Festtag der Fleischer, wurde einem dieser Tiere der Kopf mit einem Säbel abgeschlagen, ein grausames Vergnügen, das zur Erinnerung an einen weit zurückliegenden Sieg über den Patriarchen von Aquileia eingeführt worden war. Dieser sollte zusammen mit zwölf gleichzeitig gefangen genommenen Domherren auf dem Markusplatz enthauptet werden. Da aber die öffentliche Hinrichtung aus irgendwelchen Gründen nicht stattfand, ersetzte man die Verurteilten durch einen Stier und zwölf Schweine, um den Pöbel nicht zu enttäuschen. An demselben Tag wurden vor den Augen des Dogen die *Forze di Ercole* [2] gezeigt, eine Aufführung, bei der auf den Schultern von acht Männern eine menschliche Pyramide aufgerichtet wurde, auf deren Spitze ein Kind stand. Ein beflügelter Akrobat sauste an einem zwischen der Spitze des Campanile und dem Balkon des Dogenpalastes gespannten Seil herab. Auf diesem luftigen Weg kam er bis zum Dogen, beglückwünschte ihn mit Blumen und streute dann Zettel mit Gedichten und Sonetten über der Menge aus, die zum Teil anspruchsvoll, zum Teil aber auch recht anstößig waren. Auch der *Krieg der*

Fäuste war dazu angetan, die Zuschauer zu erfreuen. In einer Art bizarrem Turnier rannten auf einer geländerlosen Brücke zwei Gruppen aufeinander zu, und jede Gruppe versuchte, die gegnerische ins Wasser zu schubsen, um auf die andere Seite zu kommen. Beim Anblick der Menschentrauben, die sich im Wasser zu entwirren suchten, klatschten die Zuschauer vor Begeisterung.

Wie groß bei diesen Festlichkeiten die Begeisterung und der Eifer der Menge war, wie laut die Freude und wie tosend der Applaus für die Sieger – das können die Gemälde und Radierungen nur unzureichend wiedergeben. Auch die uneingeschränkte Freiheit in der Stadt, in der das Inkognito der Maske vorübergehend die guten Sitten und die sozialen Unterschiede außer Kraft setzte, lassen sie nur erahnen. Die Maske war übrigens im venezianischen Lebenswandel in ständigem Gebrauch. Sie wurde benötigt, um abends in die Spielsäle, die *Ridotti*, eingelassen zu werden, in denen sich Frauen und Männer drängten. Niemand wunderte sich darüber, wenn maskierte Adlige den Dogenpalast betraten und dann im Vorzimmer des *Großen Rates* ihr Dominokostüm ablegten. Niemand nahm Anstoß daran, maskierten Besuchern zu begegnen, selbst nicht in den Besuchszimmern der Klöster oder bei festlichen Essen im Hause des Dogen, zu denen hohe Beamte in Purpurroben geladen waren. War eine junge Adlige verlobt, so verbarg sie ihre Gesichtszüge unter einem samtenen Schleier und niemand außer ihrem Verlobten und einigen Privilegierten, denen diese seltene Gunst erwiesen wurde, durfte ihr Gesicht sehen.

Die jungen Frauen mochten in den Palästen mit den vergitterten Fenstern in ähnlicher Gefangenschaft wie orientalische Frauen leben und sich mit Stickereien beschäftigen oder mit jener wunderbaren Spitze, auf die Venedig so stolz war. Durch ihre Heirat erfuhren sie jedoch eine plötzliche Befreiung und von diesem Moment an schränkte nichts mehr ihre Bewegungsfreiheit ein. Diejenigen unter ihnen, die weiterhin ein untadeliges Leben führten, fanden aus Frömmigkeit zu einer Zurückhaltung, die ihnen weder der Familiensinn noch die Moral dieser freizügigen Gesellschaft aufdrängte. Da die Ehe eine reine Formalität war, war man auch frei von häuslichen Pflichten. Man konnte den ganzen Tag im Freien verbringen und sich in den Casinos verabreden. Das war den Frauen ebenso recht wie ihren Ehemännern. Die Kinder waren hübsche Püppchen, die mit teuren Kleidern ausgestattet wurden und man bemühte sich in erster Linie um ihre Unterweisung im guten Benehmen. Was die Jugendlichen betrifft, so erregten sie bei Besuchern Anstoß mit einer Wildheit, die die Venezianer nur amüsierte.

Die Erziehung war, nachdem in den Schulen die Undiszipliniertheit eingezogen war, fast völlig dem Zufall überlassen. Die Ausbildung Carlo Goldonis mag als Beispiel dienen. In Rimini langweilten ihn die Feinheiten der Philosophie, er interessierte sich mehr für das Theater und für antike Komödien und fand Anschluss an eine fast ausschließlich aus Landsleuten bestehende Truppe. Er gab vor, seine Mutter in Chioggia zu besuchen, schloss sich der Truppe an und begleitete sie auf ihren ausgiebigen Fahrten. Nach diesem Abenteuer erhielt er ein Stipendium für ein päpstliches Kollegium in Pavia und wurde dann von eleganten und weltgewandten Geistlichen zum Priester geweiht. Aber anstatt fleißig das bürgerliche und das kanonische Recht zu lernen, konzentrierte er sich auf das Fechten, die schönen Künste und auf Gesellschaftsspiele, ohne die ein perfekter Kavalier nicht auskommen konnte. Solcherlei Zeitvertreib hinderte ihn jedoch nicht daran, bei einem Aufenthalt in Chioggia eine Predigt für einen Freund zu schreiben, die ihm den Ruf der Beredsamkeit einbrachte.

Selbst in den Klöstern waren die Mauern nicht dick genug, um die zurückgezogen Lebenden von der Welt zu trennen. Im Correr Museum zeigt eines der interessantesten Gemälde Pietro Longhis den

10. *Capriccio: Die Rialtobrücke und die Kirche San Giorgio Maggiore*, gegen 1750.
Öl auf Leinwand, 167,6 x 114,3 cm.
North Carolina Museum of Art, Raleigh.

11. *Die Rialtobrücke, Blick vom Südwesten aus,*
gegen 1740-1745.
Stift und Tinte auf Bleistift und
Nadelstichen, 26,6 x 36,7 cm.
Royal Collection Trust, London.

12. *Der Canal Grande und die Rialtobrücke von Süden gesehen*, gegen 1727. Öl auf Kupfer, 45,5 x 62,5 cm. Privatsammlung.

Besuch von Patriziern bei Nonnen in einem Besuchszimmer. Die Szene macht einen ganz weltlichen Eindruck. Durch die Trennstäbe scheinen die Nonnen und Klosterschülerinnen dem Trubel von außen ein wohlwollendes Ohr zu leihen. Zur Zerstreuung dieser hübschen Gesellschaft, deren Kleider und Ärmel mit venezianischer Spitze gesäumt sind, wurde in einer Ecke ein kleines Theater aufgestellt, und ein Bettler geht von Gruppe zu Gruppe, um die edlen Herren um ein Almosen zu bitten.

Die Venezianer waren dem Mystischen wenig zugetan, sie liebten den Glanz der religiösen Zeremonien. Die Prozessionen waren schillernde Festzüge mit Priestern im Ornat unter Baldachinen aus goldenem Tuch, mit ausgebreiteten Bannern, mit dem Dogen und dem Patriarchen, mit den zahllosen Geistlichen und den sechs Kompanien der *Scuole Grande* [3]. Sie setzten die Religion mit ihrer Vorstellung von Patriotismus gleich. War nicht der aus Alexandrien zurückgeholte Leichnam des Heiligen Markus zu einer heiligen Reliquie geworden, zu einer Art schützendem Heiligtum? Das Volk rief *„Siamo Veneziani! E poi Christiani!"*, und der Klerus folgte nicht immer gehorsam den Anweisungen des Heiligen Stuhls. Im Übrigen wurden die Kirchenmänner von der Regierung misstrauisch beäugt. Sobald jemand kirchliche Ämter oder Pfründe innehatte oder auch nur als Priester geweiht worden war, wurde er für alle Zeit von jeglichem öffentlichen Amt ausgeschlossen und sollte von allen Ämtern enthoben werden, die er eventuell bereits innehatte. So war es auch allen Ministern der Republik im Umkreis des Papstes verboten, die Kardinalswürde oder auch nur die eines Prälaten anzustreben.

Im Venedig des 18. Jahrhunderts gab es immer noch die Inquisition, aber die Beauftragten aus Rom ähnelten zu keiner Zeit den düsteren Abgesandten Philipps II. von Spanien. Den kirchlichen Räten wurden drei adlige, vom Senat bestimmte Laien zur Seite gestellt, die durch Abstimmen die Urteile des Heiligen Offiziums aufheben konnten. Tatsächlich war dieses Gericht weniger gefährlich als sein Ruf und beschränkte sich auf eine Art Zensur für die Werke von Malern und Schriftstellern. So wurde etwa Veronese vorgeladen, um das Erscheinen von unnützen Figuren und anstößigen Details auf seinen Bildern zu erklären. „Wir Maler", brachte er zu seiner Verteidigung hervor, „wir sind wie die Narren und die Dichter, die je nach Laune und Uhrzeit ihrer Fantasie nachgeben." Er wurde dazu „verurteilt", einige Veränderungen an den riesigen Kompositionen vorzunehmen, die er gerade für das Refektorium des Klosters *Santi Giovanni e Paolo* in Arbeit hatte. Man kann sich leicht vorstellen, dass diese Zensur zu Zeiten Canalettos vollkommen illusorisch geworden war.

Durch die Handelsbeziehungen trafen sich auf der Piazza Griechen, Juden, Mohammedaner und später auch Protestanten. Die meisten europäischen Nationen unterhielten in Venedig ein eigenes Konsulat und Geschäftsquartiere. Die Griechen und die Juden zum Beispiel waren im Norden der Stadt untergebracht. Die Venezianer waren klug genug, die Glaubensfreiheit in ihre Gastfreundschaft mit einzubeziehen, Doktrinen lehnten sie jedoch ab. So konnten weder Calvin noch Luther auch nur einen einzigen Anhänger in der Gemeinde von Sankt Markus gewinnen. An einigen epikureischen Theorien, auf die der Philosoph Cesare Cremonini gerade erst durch seine brillanten Kommentare aufmerksam gemacht hatte, fanden sie aber dann doch Gefallen. Er war berühmt für seine Auslegungen der antiken Philosophie und hatte an der Universität von Padua furchtlos verkündet, dass die Seele vererblich wie das körperliche Leben und deshalb nicht unsterblich sei. Viele Adlige hatten dieses materialistische und atheistische System übernommen und zogen nun die Konsequenzen daraus. Ein richtiggehendes Heidentum breitete sich nicht nur in den Köpfen, sondern auch in den Sitten aus. Dieses völlige Fehlen von Skrupeln war zweihundert Jahre vorher unter dem

13. *Der Kai und die Riva degli Schiavoni,* gegen 1727.
Öl auf Kupfer, 43 x 58,5 cm.
Privatsammlung.

14. *Die Rückkehr des Bucentaur zum Kai,* 1730-1735.
Öl auf Leinwand, 156,3 x 237,5 cm.
The Bowes Museum, Barnard Castle, Teesdale. (S. 28-29)

Einfluss von Pietro Aretino schon einmal da gewesen. Man tolerierte dessen vermessenen Anspruch, sich als Richter über das Schicksal zu stellen. Herrscher versorgten ihn mit Renten und mit Goldketten, er lebte als großer Herr inmitten der Geschenke, mit denen man ihn überhäufte, und er beklagte sich darüber, dass die Treppe zu seiner Wohnung abgenutzt wurde, weil so viele Besucher kamen, um ihn zu hören und zu bewundern.

Der Adel

Die Patrizier wachten eifersüchtig über das Geheimnis ihres Adels, des ältesten in ganz Europa. Es gab noch Familien, die stolz darauf waren, Vorfahren zu haben, die schon im 7. Jahrhundert an der Wahl des ersten Dogen teilgenommen hatten. Pietro Gradenigo, einer seiner Nachfolger, vollzog 1297 eine richtiggehende Revolution zugunsten der Aristokratie, als er die jährliche Erneuerung des *Großen Rates* abschaffte. Er ließ all jene für unabsetzbar erklären, die schon seit vier Jahren dazugehörten und gestand allen männlichen Nachkommen das Recht auf einen Sitz schon zu Lebzeiten ihres Vaters zu. Das war der Anfang des berühmten *Goldenen Buches* [4], in dem die Namen der betreffenden Familien festgehalten wurden; alle dort nicht eingetragenen waren dem Niedergang geweiht. Auch Ausländer oder Plebejer konnten darin Aufnahme finden, sie mussten jedoch durch Taten beweisen, dass sie dem Staat ergeben waren. Nach dem Chioggia-Krieg (1378-1381) zwischen Genua und Venedig wurden auf diese Weise dreißig Familien aus dem Volk in den Adelsstand erhoben. Die Liste wurde, um eine Verarmung der ganzen Klasse zu vermeiden, 1775 noch einmal um die wohlhabendsten Nichtadligen erweitert.

Allerdings wurde dieser Oligarchie von der Regierung hart zugesetzt, dem Volk gegenüber war sie konzilianter. Der Doge selbst wurde streng überwacht. Wenn es sein musste, gemahnten ihn – besser noch als die der phrygischen Mütze so ähnlich sehende Form des *Corno ducale* – das Beispiel seiner oft eines gewaltsamen Todes gestorbenen Vorgänger, die tragischen Geschichten der Foscari und der Marino Faliero, daran, dass er lediglich der erste Untertan der Republik war. Der Staat war immer auf der Hut vor Intrigen, er mischte sich in die Privataffären der Adligen ein, verbot ihnen den Umgang mit den Repräsentanten fremder Mächte und verhinderte, dass sich in einzelnen Häusern große Reichtümer ansammelten. Es kam vor, dass ein Patrizier hingerichtet wurde, nur weil er eine Botschaft betreten hatte, auch dann, wenn er dabei mit niemandem gesprochen hatte. Noch im 18. Jahrhundert wurde eine Pisani, die eine Rente in Höhe von 150 000 Dukaten geerbt hatte, gezwungen, auf den Mann ihrer Wahl zu verzichten, weil er zu reich war, und musste stattdessen einen besitzlosen Freier heiraten. Und die Patrizierinnen, die sich ohnehin ständig über das Gesetz gegen den Luxus ärgerten, durften außer an Feiertagen und während des Karnevals erst dann bunte Kleider oder Juwelen tragen, wenn sie ihr Noviziat hinter sich hatten, also nach zwei Jahren Ehe.

Der edle Stolz und das Bewusstsein der eigenen Kraft, die dieses Volk in seiner Glanzzeit so mächtig gemacht hatten, waren nicht mehr. Die Sitten verweichlichten und verkamen zur Geziertheit, man verlor sich in kleinlichen Intrigen oder in Streitereien um die Etikette. Es gehörte zum guten Ton, in der dritten Person zu sprechen; die Kunst des Verbeugens war höchst kompliziert: man musste sich ganz tief verbeugen und selbst das war nur dann richtig, wenn „… die Perücke einen guten halben Fuß auf dem Boden zu liegen kam". Mehr noch, man hatte so manchen Herren einen Passanten in die Lagune stoßen sehen, weil ihnen nicht die notwendige Ehrerbietung erwiesen wurde.

15. *Regatta auf dem Canal Grande*,
gegen 1733-1734.
Öl auf Leinwand, 77,1 x 125,7 cm.
Royal Collection Trust, London.

16. *Das Hafenbecken von San Marco,*
Richtung Westen, am Himmelfahrtstag,
gegen 1734.
Bleistift und dunkle Tinte,
27 x 37,5 cm.
Royal Collection Trust, London.

17. *Das Hafenbecken von San Marco,
am Himmelfahrtstag,* gegen 1733-1734.
Öl auf Leinwand, 76,8 x 125,4 cm.
Royal Collection Trust, London.

Die bescheidenste Art, jemanden um Unterstützung zu bitten, bestand darin, sich zum *Broglio* zu begeben, wo sich jeden Tag höher gestellte Herrschaften einfanden, um den Ärmel des Schutzherrn zu küssen. Wenn ein Patrizier in irgendein Amt eingesetzt wurde, nahmen die Komplimente kein Ende und die Glückwünsche wirkten fast komisch. Charles de Brosses, der der Wahl eines Galeerengenerals beigewohnt hatte, machte sich über die Fußfälle des gewählten Kandidaten lustig und über die schmatzenden Küsse, die man ihm beim Verlassen des Großen Rates verabreichte: „Man hörte sie bis zur Mitte des Platzes". Tatsächlich waren die Höflichkeitsformen außerordentlich hoch entwickelt, selbst bei den Kurtisanen, und die Gemütsart war weitgehend friedlich. Brosses berichtet: „Das Blut ist so sanft, dass trotz der Masken, der nächtlichen Geschäftigkeit, der engen Gassen und vor allem der Brücken ohne Geländer, von denen man einen Mann ins Meer stoßen konnte, ohne dass der sich dessen gewahr wurde, nicht einmal vier Unfälle im Jahr passieren, und dann auch nur zwischen Ausländern".

Die Adligen wohnten in Palästen, von denen die meisten am Canal Grande lagen, wie die Palazzi Grimani, Pesaro, Vendramin, Loredano und Pisani. Oft waren diese herrlichen Häuser, in denen sich wahre Kunstschätze angesammelt hatten, mehr prunkvoll als zweckmäßig. Im Palazzo Labia zeigte die Herrin des Hauses Charles de Brosses vier Garnituren aus Smaragden, Saphiren, Perlen und Brillanten, wahrhaft königliche Juwelen, die sie jedoch nicht anlegen durfte. Der Palazzo Foscari, in dem einst Heinrich III. von Frankreich logierte, hatte einen einzigartigen Ausblick und war berühmt für seine prunkvolle Ausstattung. Er besaß zweihundert mit Luxusmöbeln und teuren Bildern versehene Räume. Allerdings fand de Brosses nicht ein einziges Eckchen, „... wo man sich vernünftig unterhalten könnte, und man konnte sich auch nicht auf einen Sessel setzen, weil man auf die empfindlichen Skulpturen aufpassen musste". Zudem verbargen die eindrucksvollen Fassaden oft richtiggehende Notlagen, wie etwa bei der Familie Gozzi. Als der Vater gelähmt war, blieb das älteste Kind, der nachdenkliche und unentschlossene Gasparo, in seine literarischen Arbeiten vertieft. Er kümmerte sich um gar nichts und ließ seiner Frau, der berühmten Dichterin und Librettistin Luisa Bergalli, freie Hand, die in ihren Verhandlungen so weit ging, den Palast verkaufen zu wollen. Sechs Jahre lang diskutierten die Kinder, und als der Vater dann starb, mussten sie sich Geld leihen, um ihm ein ordentliches Begräbnis zu bezahlen. Bei vielen kamen Leichtsinn und Fahrlässigkeit zusammen: die einen verreisten, um strittigen Geschäften zu entgehen, andere lebten schamlos auf Kosten der Kaffeehausbetreiber, wieder andere führten ein Leben im Müßiggang und verbrachten einen guten Teil des Tages im Bett.

Es war für Ausländer nicht leicht, in die Paläste eingelassen oder zu Empfängen der Patrizier eingeladen zu werden, denn die Letzteren fürchteten, bei der Besprechung ihrer Intrigen und Machenschaften gestört zu werden, die sie vor einem Außenstehenden lieber nicht erörtern wollten.

„Die adligen Herren", erzählte der Rat Charles de Brosses, „kommen abends ins Café und sprechen über unsere gute Freundschaft – aber uns in ihre Häuser einzuführen, ist eine ganz andere Sache. Hinzu kommt, dass nur in wenigen Häusern Gesellschaften gegeben werden, dass nur wenige daran teilnehmen und dass sie für Ausländer nicht sehr unterhaltsam sind. Man kann sich nicht einmal beim Spiel trösten, denn ihre Karten sind rätselhaft, sie haben ganz andere Abbildungen und Namen als unsere. Trotz all ihrer Pracht und ihrer Paläste haben die Venezianer keine Ahnung, wie man ein ordentliches Huhn serviert. Ich war ein paar mal zum Gespräch bei der Procuratessa Foscarini, übrigens ein immens reiches Haus und eine äußerst anmutige Frau; als einzige Gaumenfreude jedoch

18. *Karneval* (Detail), 1730-1739.
   Öl auf Leinwand, 149,8 x 218,4 cm.
   The Bowes Museum, Barnard
   Castle, Teesdale.

19. *Die Rückkehr des Bucentaur,*
   am Himmelfahrtstag, gegen 1730.
   Öl auf Leinwand, 182 x 259 cm.
   Sammlung Aldo Crespi, Mailand.
   (S. 36-37)

brachten gegen drei Uhr, also um elf Uhr abends nach französischer Zeit, zwanzig Diener einen übertrieben großen silbernen Teller mit Scheiben von einem großen Kürbis, der hier Wassermelone genannt wird – ein abscheuliches Zeug. Dazu ein Stapel silberner Teller. Jeder stürzt sich auf ein Stück, trinkt eine kleine Tasse Kaffee und geht dann mit unbeschwertem Kopf und leerem Magen um Mitternacht zum Essen nach Hause."

Das sind die Venezianer, die die Einwohner von Florenz *grossolani* nannten. Unser Reisender dagegen schätzte umso mehr die Weine aus Burgund und von den Kanaren aus den Beständen des Marschalls von Schulenburg und die Festmähler, mit denen die Botschafter ihn verwöhnten, besonders der neapolitanische: „Der offenherzigste Kerl, den man sich denken kann, übrigens ein grundehrlicher Mann, ein angenehmer und unkomplizierter Mensch." Den Diplomaten fiel der Umgang mit den Ausländern tatsächlich leicht, schon deshalb, weil sie von Amts wegen mit den Patriziern nicht verkehren durften.

Dennoch existierte bei diesem Volk, dessen Fehler und Merkwürdigkeiten einen Kräfteverfall anzeigten, die Vorliebe für die Kunst und die Sehnsucht nach dem Geistigen. Es scheint tatsächlich so etwas wie ein letztes Privileg zu sein, dass Völker, die einst ein höheres Glück erlebt haben, sich bis in den Todeskampf hinein ihre glänzende Fantasie erhalten, und so zumindest ihr lasterhaftes Dahinsiechen vor der Schande und dem Lächerlichen bewahren.

Dichtung, Malerei und Theater

Der Ruf der venezianischen Kritiker, Literaten und Poeten ging weit über die Lagune hinaus. Mehr als einmal wählte der Wiener Hof unter ihnen seinen *Poeta Cesareo*. Als die Universität von Padua gründlich umgestaltet werden musste und einen neuen Studienplan brauchte, wandte man sich an Gasparo Gozzi. Mit Ausnahme von Pietro Metastasio, der als der größte Lyriker seiner Zeit gilt, waren alle Dichter, auf die Italien damals stolz war – Apostolo Zeno, Pietro Chiari, Carlo Goldoni und die beiden Gozzi – durch Geburt oder Adoption Kinder aus der Stadt des Heiligen Markus. Bei jeder Gelegenheit wurden damals Verse zitiert. Keine öffentliche Zeremonie und kein familiäres Ereignis, das nicht Anlass gab zu diesen *Stanze*, die in den Werken all dieser Autoren zahlreich waren.

Es entstanden schöngeistige Vereinigungen, die den guten Geschmack wiederherstellen, die Reinheit des italienischen Stils bewahren oder den nationalen Geist verteidigen wollten. So auch die 1691 entstandene *Accademia degli Animosi*, deren Gründer Apostolo Zeno [5] für seine dramatischen Werke ebenso berühmt war wie für seine umfassende Gelehrtheit, und zu deren Mitgliedern die Magliabecchi, die Salvini und die Redi gehörten. Dann war da noch die *Accademia dei Granelleschi*, die zwar nicht ganz so ernsthaft, aber nicht weniger aktiv war und unter der Schirmherrschaft der Brüder Gozzi Gestalt annahm. Gasparo, der leidenschaftliche Ältere, berief sich auf Dante und auf Petrarca, während der jüngere, etwas angriffslustigere Carlo immer bereit war, die Dinge von ihrer komischen Seite her zu sehen.

Neben ihnen bildeten Guiseppe und Daniele Farsetti, glanzvolle Amateure – Daniele gehörte zum Malteser Orden und schrieb elegante Verse –, der Abt Natale Lastesio, einer der größten Universalgelehrten seiner Zeit, Forcellini und die beiden Patrizier Crotta und Balbi eine Elitegruppe,

20. *Der Kai, Richtung Westen, mit der Dogana und Santa Maria della Salute, Venedig*, gegen 1727.
Öl auf Kupfer, 43 x 58,5 cm.
Privatsammlung.

21. *Der Empfang des französischen Botschafters in Venedig*, 1726-1727.
Öl auf Leinwand, 181 x 259,5 cm.
Eremitage, Sankt Petersburg.
(S. 40-41)

deren Mitglieder sich allesamt durch ihren lebhaften Geist und durch ihr umfassendes Wissen auszeichneten. Bei ihren Zusammenkünften begannen diese eigenartigen Akademiker ihre ernsthafte Arbeit erst dann, wenn sie ihre Narrheiten erschöpft hatten. Zu ihrer größten Freude entdeckten sie einen lächerlichen Pedanten namens Giuseppe Secchellari, dem sie eine Abordnung schickten und den sie zum Präsidenten ihrer Versammlung ernannten. In dieser Mischung aus Spaß und seriöser Arbeit kam eben jener Charakterzug der Nation zum Vorschein, in dem das mal diskrete, mal zynische Spottgedicht niemals seinen Platz verlor.

All die groben Scherze hielten diese Gesellschaft jedoch nicht davon ab, mit großem Eifer die venezianische Literatur zu verteidigen, und sie taten sich auch durch ihre treffenden Kritiken hervor, die manchmal boshaft oder gar brutal sein konnten. Carlo Gozzi, der selbst sehr viel Wert auf einen eleganten Stil legte, kritisierte mit kämpferischer Verbissenheit die Erfolge von Chiari [6] und Goldoni. Dem Letzteren warf er vor, dass er das italienische Theater auf den Kopf stelle und dass seine Sprache nicht ausgefeilt sei und formulierte gegen ihn unter dem Titel *Tartana degli influssi per l'anno bisestile* eine beißende Satire. Diese 1757 veröffentlichte Schrift brachte dem Angreifer den Beifall der Spaßvögel ein und trug wahrscheinlich dazu bei, dass Goldoni nach Frankreich ging.

Solche Akademien standen nur einem kleinen Kreis Gebildeter offen, die Leidenschaft für das Theater betraf jedoch alle. Jedes einigermaßen bedeutende Haus besaß eine private Bühne. Goldonis Großvater gab in einem Landhaus in der Nähe von Venedig Opern und Komödien; Gozzis Vater inszenierte in seinem Palast diverse Theaterstücke, in denen seine recht begabten Kinder auftraten. Und improvisierte Bühnen, die fast dauernd irgendwo im Freien bespielt wurden, waren schnell aufgebaut: man brauchte nur zwei Hocker an eine Hauswand zu stellen und ein paar Bretter darauf zu legen, manchmal gab es sogar ein Schutzdach über dem Ganzen und eine bemalte Leinwand als einziges Bühnenbild. Bis auf die Größe sah das Ganze aus wie ein Kasperletheater, und die Darsteller sahen aus wie Marionetten. Canaletto, Michele Marieschi und Giovanni Battista Tiepolo erschienen in diesen im Schatten des Campanile oder an irgendeinem anderen Platz aufgebauten Buden vor der neugierigen Menge. Von den bedeutenderen Bühnen waren drei nur für Komödien reserviert, und die Adligen waren sich nicht zu schade, sie zu leiten. Gasparo Gozzi übernahm diese Aufgabe gern, bis zu dem Tag, an dem der Ruin und die Auflösung seiner Truppe ihn davon befreiten. Goldoni wirkte zuerst an dem wenig besuchten und relativ unbedeutenden *Teatro Sant'Angelo*, 1748 ging er dann an das *Teatro San Luca*. Dort nahm er trotz aller Intrigen und Sarkasmen eine revolutionäre Veränderung in der Aufführungspraxis vor, indem er die maskierten Schauspieler durch nichtmaskierte ersetzte und statt Farcen und Theaterstücken mit festgelegtem Verlauf Charakterkomödien inszenierte.

Der Erfolg dieser Reform hätte beinahe zum Ruin des berühmten Harlekins Antonio Sacchi geführt, der die alte nationale Spielart vertrat. Sacchi lebte in Venedig, war mit Goldoni befreundet und hatte eine Truppe aufgestellt, die gerade dabei war, sich aufzulösen, als sie von Carlo Gozzi übernommen wurde. Dieser ließ nichts unversucht, um Goldoni zu übertrumpfen und bot deshalb seine unentgeltliche Mitarbeit an, geizte nicht mit guten Ratschlägen für die Darsteller und wurde von ihnen bald als guter Freund akzeptiert. Beim Karneval des Jahres 1761 erntete er rauschenden Beifall. Heute würde man an den seltsamen Themen keinen Gefallen finden, die auf einfachen Feenmärchen oder kindlichen Erzählungen beruhten und die der mitreißenden Fantasie der improvisierenden Schauspieler Gelegenheit gab, sich in den drolligsten Späßen hervorzutun.

22. *Venedig, Das Rochusfest*, gegen 1735.
Öl auf Leinwand, 147,7 x 199,4 cm.
National Gallery, London.

23. *Der Campo San Angelo*, gegen 1732.
Öl auf Leinwand, 46,5 x 77,5 cm.
Privatsammlung.
(S. 44-45)

Ein Jahr später war es ein ausgefallenes Possenstück, *Il Re Cervo*, das der Anlass für einen erneuten Erfolg der vier maskierten Hauptfiguren war, zu denen auch die Signora Ricci gehörte. Wenn das venezianische Publikum auch für kurze Zeit über solchen Narrheiten die ernsthafteren Aufführungen vergaß, so konnten diese jedoch nicht ein Genre übertrumpfen, das sich an der Wirklichkeit orientierte und auf einer ehrlicheren Analyse beruhte. Goldoni glaubte nicht, dass er seine Reform übergangslos durchsetzen konnte, daher behielt er die Masken für die Stücke mit vorher festgelegtem Verlauf bei und reservierte den lustigen Edelmann für durchdachtere Stücke, was ihm so gut gelang, dass seine Vorlieben schließlich in ganz Italien angenommen wurden.

Goldonis Memoiren enthalten eine Übersicht über seine Stücke und eine Schilderung seiner Erfolge und Misserfolge. Wenn man in diesen abwechslungsreichen Kapiteln blättert, staunt man immer wieder über den Einfallsreichtum des Dramaturgen und muss seine Vorstellungskraft einfach bewundern. Nicht alles in der Fülle seiner Werke ist hervorragend, bei weitem nicht, reines, unvermischtes Gold ist darin selten. Und auch wenn er nicht den venezianischen Dialekt benutzte, so rechtfertigt der Stil manchmal durch seinen Mangel an Klarheit und Eleganz die Sarkasmen eines Gozzi. Wenn man außerdem von der Komödie erwartet, dass sie die Ironie hinter einem echt gemeinten Lachen verbirgt, könnte man dem italienischen Autor vorwerfen, dass er zu oft ins Rührselige abgleitet, dass er die Mittel, die er doch eigentlich missbilligt, nicht sorgfältig genug einsetzt, dass er auf so manchen Giftmord zurückgreift, der sein übliches Publikum vielleicht nicht abschreckt, auf jeden etwas feinfühligeren Menschen jedoch abstoßend wirken mag. Trotz dieser berufsbedingten Schwächen hat er sehr wahrheitsgemäß bald durchschnittliche, bald besondere Figuren gezeichnet, die dem venezianischen Leben abgeschaut sind und es wäre ungerecht, ihm seine Erfindungsgabe abzusprechen.

Anders als die Bürger von Athen, die Aristophanes gerade dann mit Rosen bedeckten, als er sie mit beißenden Satiren geißelte, wussten Goldonis Landsleute nie den Verdienst ihrer Poeten zu schätzen und ließen die interessantesten ziehen. Als die Pariser Truppe der *Commedia Italiana* das Stück *Arlecchino perduto e ritrovato*, das einst auf Sacchis Bitte hin geschrieben worden war, wieder aufnahm, nahm Goldoni das zum Anlass, sich nach Frankreich abzusetzen, wo man ihm ein gut bezahltes zweijähriges Engagement bot. Er war ein leidenschaftlicher Bewunderer Molières, in dem er den größten aller antiken und modernen Komödiendichter sah, und er hatte schon immer den Wunsch gehabt, Frankreich, seine Literaten und die für ihren Geist so hoch gelobte Pariser Gesellschaft kennenzulernen, deren Beifall er sich als höchste Weihe für sein Talent erhoffte. Goldoni wurde bald als Italienischlehrer in den Dienst der Töchter des Königs gestellt. Anstelle eines Gehalts erhielt er für einige der Prinzessin Adelaide gegebene Einzelstunden eine Wohnung in Versailles, nahm an allen Reisen teil und wohnte den Aufführungen am Hofe bei. Schließlich gewährten ihm seine Schülerinnen ein Gehalt in Höhe von viertausend Pfund und befreiten ihn von allen Verpflichtungen ihnen gegenüber.

Auf die Angebote aus London und Portugal und auf das Drängen seiner Landsleute, doch zurückzukommen, stellte sich Goldoni taub, er blieb lieber in Paris. Der Erfolg des Stückes *Bourru bienfaisant*, das 1771 mit Molé, de Réville und Madame Bellecour aufgeführt wurde, zählte zu den größten Freuden in seinem Leben. Als ihm seine Zeitgenossen den Beinamen „italienischer Molière" verliehen, sind sie nicht weiter von der Wahrheit abgekommen als beim Vergleich Metastasios mit Sophokles [7].

24. *Markusplatz, Richtung Süden und Westen* (Detail), 1763. Öl auf Leinwand, 56,5 x 102,9 cm. Los Angeles County Museum of Art, Los Angeles.

25. *La Piazzetta, Richtung Westen, mit der*
Bibliothek und dem Campanile, gegen 1740.
Feder und Tinte, 22,6 x 37,4 cm.
Royal Collection Trust, London.

26. *Venedig, Der Markusplatz und die Piazzetta,*
gegen 1731.
Öl auf Leinwand, 66 x 101,6 cm.
Wadsworth Atheneum Museum of Art,
Hartford (Connecticut).

Zum Kreis der Dichter gehörten auch einige außergewöhnliche Frauen, die durch ihren Geist und durch ihr Talent zur Bereicherung der venezianischen Gesellschaft beitrugen. So etwa Luisa Bergalli, die in einer Schusterwerkstatt aufgewachsen war und den Adligen Gasparo Gozzi geheiratet hatte. Sie hatte eine wunderbare Begabung, schuf exzellente Stickereien und hatte, bevor sie sich dem Schreiben widmete, bei Rosalba Carriera malen gelernt. In ihren Übersetzungen von Terenz, durch die der Dichter und Gelehrte Apostolo Zeno auf sie aufmerksam wurde, sowie in ihren *Canzone* und verschiedenen Bühnenwerken beweist sie außergewöhnliche Fähigkeiten. Man kann daher annehmen, dass die Bewunderung ihrer Zeitgenossen nicht nur reine Galanterie war.

Nicht weniger berühmt ist die „Königin des Pastell" genannte Rosalba Carriera, die bei ihrer Reise durch Frankreich sehr gefeiert wurde. Sie verlangte dreißig Zechinen für ihre Porträts, und als Charles de Brosses ihr seine Aufwartung machte, bot er ihr fünfundzwanzig Louis d'Or für eine von Correggio kopierte handtellergroße *Magdalena*. Ihre manierierte Anmut und die Zartheit ihrer Farbgebung wurden über die Maßen gelobt – ihr Lehrmeister dagegen, der Adlige Giovanni Antonio Lazzeri, ist leider etwas zu sehr in Vergessenheit geraten.

Der Niedergang der Malerei war umso spürbarer, als sie solche Höhen erklommen hatte, dennoch zählte die Schule von Venedig, die in eine Periode wohlgefälliger und oberflächlicher Meister eingetreten war, noch einige herausragende Namen. Der Ruhm von Giorgione, Tizian, Veronese und Tintoretto lebte fort, aber ihre Lehren wurden nicht mehr befolgt. Man hielt sich lieber an die Carracci, an Pietro da Cortona, an den anspruchsvollen Giovanni da Bologna, an die Manieristen aus Rom und an die Nachahmer von Caravaggio. Dem Beispiel der letzteren nacheifernd, übertrieben ein paar Venezianer ihre Effekte und füllten ihre Leinwände mit schwarzen Schatten, was deren Lebensdauer beeinträchtigte. Mit düsteren Bildern endete das 17. Jahrhundert. Die folgende Epoche versuchte eine Erneuerung, ohne jedoch an die großen Traditionen anzuknüpfen. Von den einzelnen Talenten, die dann auf den Plan traten, war keines uninteressant, aber auch nicht ohne Schwächen. So fanden sich neben einem hervorragenden Zeichner wie Gregorio Lazzarini die Ricci, Tiepolo, Canaletto, Rotari, und mehrere andere Meister: Molinari, Guardi und Longhi, die allesamt des Lobes und der Erinnerung wert sind.

Der künstlerische Schwung hatte also nicht nachgelassen. Durch die von beiden Akademien gebotenen materiellen Mittel war Venedig nach wie vor weltweit eine der Städte, in der die jungen Künstler die besten Möglichkeiten hatten, sich mit ihrer Technik vertraut zu machen. Man muss der Regierung das Verdienst zugestehen, dass sie alles tat, den Schutz und den Wohlstand der örtlichen Industrie und Kunst zu garantieren. So erhielt etwa Briati als Einziger das Privileg, böhmisches Kristallglas herzustellen, dessen Einfuhr verboten war, wodurch er Lüster und Spiegel herstellen konnte, die in ganz Europa gefragt waren [8]. Im Jahr 1764 wurde die Eröffnung einer Kunstakademie beschlossen, die an die Stelle der ehemaligen Malervereinigung treten sollte. Dank der Beihilfe der Patrizier, die den Standpunkt der Regierung großzügig unterstützten, nahm sie 1766 den Betrieb auf.

Die venezianischen Künstler hatten im Ausland nach wie vor einen achtbaren Ruf. Eines Tages bat der Stellvertreter des Dogen im Vatikan Carlo Maratta, ein Gemälde für den Prüfungssaal zu malen. Dieser war überrascht, dass man in Rom darum bat, gab es doch in Venedig einen Gregorio Lazzarini, der mit Raffael verglichen wurde. Giambattista Tiepolo war zwar Lazzarinis Schüler, aber nichts schien weniger zu der Weisheit des Meisters zu passen als die ungezügelte Gangart des Schülers. Tiepolo hatte mehr Ähnlichkeit mit Piazzetta; eine fieberhafte Unruhe kennzeichnen seine religiösen

27. *Venedig, Die Piazzetta,*

vom Uhrturm aus gesehen, 1727-1729.

Öl auf Leinwand, 172,8 x 135,2 cm.

Royal Collection Trust, London.

28. *Der Markusplatz, Richtung nach Nord-Osten,*
von den Neuen Prokuratien aus gesehen,
gegen 1745.
Feder und Tusche, blaugrau laviert über Bleistift,
19,7 x 28 cm.
Royal Collection Trust, London.

29. *Der Markusplatz mit dem Säulengang,* gegen 1756.
Öl auf Leinwand, 46,4 x 38,1 cm.
National Gallery, London.

und allegorischen Kompositionen. Zwischen einstürzenden Bauten verstreut er Figuren in gequälter Haltung in gewagten Verkürzungen, und ein gewaltiger Wind greift in die Stoffdraperien und zerfetzt die Wolken. Besonders beachtenswert in seinem Werk ist die rapide und schwungvolle Ausführung, die sich wunderbar für das Fresko eignet. Seine ausladenden Kompositionen, in denen er gern fliegende Genies in strahlendem Licht verteilte, zeigen eine Palette von blassem Gold und zartem Silber und sind eine solche Freude für das Auge, dass man die Schwächen der Zeichnungen nicht wahrnimmt. Tiepolo erscheint trotz aller Kritik als der Erbe der großen Bühnenbildner, einer der größten nach Veronese. In dieser Zeit kam auch eine Schule der Landschaftsmaler zur Entfaltung, in der sich Canaletto von Künstlern wie Luca Carlevaris und Marco Ricci abheben sollte.

Die Malerei mochte nachlassen, aber die Musik befand sich im Aufschwung und erfreute sich großer Beliebtheit. Sie hatte ihren Ursprung in der Kirche, war aber schon ab dem 15. Jahrhundert weltlich geworden. Man empfand sie als eine natürliche Ergänzung zu diesem glanzvollen Leben, als selbstverständliche Begleitung für die festlichen Gelage, auf denen das Gehör ebenso verwöhnt werden sollte wie das Auge und der Gaumen. Die großen Koloristen gaben sich ihr, um sich von der Malerei abzulenken, leidenschaftlich hin und führten mit der gleichen Leichtigkeit den Bogen wie den Pinsel. Später sollten aus vier Waisenhäusern für Mädchen Sängerinnen hervorgehen, die nicht nur auf den Bühnen von Venedig, sondern in den Theatern aller Länder auftraten. Beinahe jeden Abend gab es am Kanal musikalische Darbietungen. Das Volk begeisterte sich nicht weniger als der Adel für diese Konzerte und beide Ufer waren voll von Leuten, die zuhören wollten.

Von Goldoni erfahren wir [9], dass man sich auch auf langen Fahrten die Zeit mit Musik vertrieb. Auf der Rückreise von Pavia nach Venedig mietete er sich mit Freunden ein mit Ornamenten verziertes Boot mit einem Zeltdach. Sie nahmen sich viel Zeit, ließen nur ihre Vergnügungen die Tage einteilen und legten jeden Abend an. Alle waren sie Musiker, der eine spielte Cello, der nächste die Geige, wieder einer Gitarre und ein anderer das Jagdhorn. Goldoni hielt alle Zwischenfälle der Reise in Versen fest und trug jeden Abend nach dem Essen seine Gedichte vor. Dann gab das improvisierte Orchester ein Konzert und die Anlieger applaudierten den Bootsleuten. In Cremona bekam die lustige Bande Ovationen und wurde zum Bankett geladen. Danach begannen die gefeierten Künstler ihr Konzert unter der Mitwirkung anderer Musiker von neuem und es wurde bis zum Morgen getanzt.

Dieses Beispiel ist nur eines unter vielen und zeigt, wie empfänglich das Volk für solche Freuden war, wie sehr es das Leben von seiner schönsten Seite zu nehmen verstand, wie sehr es jedes Vergnügen zu genießen und jede Gelegenheit dazu am Schopf zu packen wusste. Hinter dieser Vergnügungssucht verbarg sich lange Zeit jeder andere Eindruck. Wenn man an so manchen Tagen das lärmende und geschmückte Venedig sah, wie konnte man da den Niedergang erahnen? Der Verfall war jedoch unvermeidbar und wurde am Ende des 18. Jahrhunderts zur unabänderlichen Tatsache. Der Ruhm ehemaliger Triumphe machte den Kontrast zwischen vergangener Macht und der aktuellen Misere nur umso offensichtlicher. Venedig glich nicht mehr dieser von attraktiven jungen Frauen und glänzenden Kavalieren gepriesenen triumphierenden Königin, die Veronese gemalt hatte, mit ihrer prunkhaften, von Genien gekrönten Architektur. War sie nicht viel eher, wie Musset es ausdrückte, die „arme alte Frau vom Lido"?

Alle Energie schien von ihr gewichen zu sein, sie war gelähmt und kraftlos in allen Anstrengungen, die schweigenden Paläste verfielen und machten einen verlassenen Eindruck. Ein Drittel der Bevölkerung

30. *Der Markusplatz,*
Richtung Süden, gegen 1723.
Öl auf Leinwand, 73,5 x 94,5 cm.
Privatsammlung.

31. *Venedig, Der Markusplatz mit der*
Basilika und dem Campanile,
gegen 1727-1729.
Öl auf Leinwand, 135 x 172,8 cm.
Royal Collection Trust, London.
(S. 56-57)

bestand aus die Hand ausstreckenden Untätigen. Der Kanal der Giudecca war nicht mehr wie einst voll von den Flaggen aus aller Herren Länder, er lag verlassen da und wartete auf Flotten, die nicht mehr kommen sollten. In den ärmeren Vierteln fanden sich jedoch noch mit Säulen bestandene Fassaden und pittoreske Ecken, die die Maler in Versuchung führten, und das um seine Vorherrschaft gebrachte Venedig war nur durch die sichtbare Erinnerung eine nach wie vor attraktive Stadt. Welcher Zauber am Abend, wenn die Lichterketten an den *Prokuratien* angingen und die Eindrücke des Tages Revue passierten; die Blumenverkäuferinnen näherten sich lautlos und boten einen Strauß, ohne den Traum zu stören. Nach und nach versammelte sich die Menge, Straßenmusiker sangen Arien von Verdi und Bellini oder ließen ihre Geigen und Harfen zum Konzert erklingen, und dort unten, unter dem sternenschimmernden Himmel, hob sich die dunkle Masse des Markusdoms ab, mit seinen dunklen Torbögen, die nur von einigen wenigen flackernden Lichtern leicht erhellt wurden.

---

[1] Nachdem Francesco Morosini zuerst die politische Eifersucht Venedigs zu spüren bekommen hatte, wurde er zum Generalissimus ernannt. 1688 erhielt er seinen ruhmreichen Beinamen und wurde zum Dogen gewählt. Der Papst ließ ihm ein Schwert und einen Helm schicken, wie es einem Verteidiger des Glaubens zustand.

[2] Das Bild von Guardi ist im Louvre zu sehen.

[3] Ebenfalls im Louvre, das Bild von Guardi zeigt die Prozession auf dem Markusplatz.

[4] Das *Libro d'Oro* (das Goldene Buch) wurde 1797 im Krieg zerstört, aber es gibt Kopien. Mehrere andere Städte in Italien legten nach Venedigs Beispiel Adelsregister an.

[5] Apostolo Zeno, geboren 1668, war, obgleich kein Adliger, doch von vornehmer Herkunft, sein Großvater war jedoch nicht ins Goldene Buch aufgenommen worden. Da er eine frei gewordene Stelle in der Biblioteca Marciana nicht bekommen hatte, nahm er das Angebot Kaiser Karls VI. an und wurde an dessen Hof Dichter und Geschichtsschreiber. Er verbrachte elf Jahre in Wien, wo er dank seines Charakters und seiner Begabung sehr geschätzt wurde. 1729 überließ er seinen Posten Metastasio und kehrte nach Venedig zurück. Umgeben von Freunden und mit Ehren überhäuft, arbeitete er dort an seinen Büchern und unterhielt einen regen Briefverkehr mit ausländischen Gelehrten. Er schuf dreiundsechzig Dramen in den verschiedensten Formen. Viele davon wurden von Caldara vertont. Besonders erfolgreich waren die Opern *Insonni Felici* und *Lucio Vero*.

[6] Der Komödiendichter Chiari stammte aus Brescia. Er ließ sich in Venedig nieder und versuchte sich ohne viel Erfolg im Roman und der Tragödie. Wie Goldoni, mit dem er zuweilen rivalisierte, schrieb er in vierzehnsilbigen Versen. Der Erstere bewunderte Terenz, der Zweite versuchte, Plautus wieder für das Theater zu beleben; beide scharten fanatische Anhänger um sich. Den sechzig Komödien Chiaris fehlt es an Energie und Eleganz, sie zeugen jedoch von seiner enormen Einfallskraft.

[7] Goldoni nahm später den Italienischunterricht für die Prinzessin Clotilde, die Verlobte des Fürsten von Piemont, und für die Prinzessin Elisabeth wieder auf. Zu seinen letzten Werken gehören seine Memoiren in drei Bänden, in denen er die Geschichte seines Lebens für das Theater schildert. Infolge der Revolution verarmt, starb er am 8. Januar 1793.

[8] Die Glasindustrie hatte in Venedig eine lange Tradition. Schon 630 holte der Bischof Benedikt venezianische Glashandwerker für die Fenster des Klosters von Yarmouth nach England. Die Fabriken, die unter der strengen Aufsicht des Rats der Zehn standen, befanden sich in Murano. Dank Briati erlebte das Glashandwerk im 18. Jahrhundert einen neuen Aufschwung. Der Handwerker verbrachte drei Jahre in einer böhmischen Kristallfabrik, um die Geheimnisse der Herstellung zu erlernen. Seine Bemühungen wurden vom Erfolg gekrönt: Er erhielt die Erlaubnis, in Venedig selbst Brennöfen aufzustellen. Er starb am 17. Januar 1772.

[9] *Mémoires*, Goldoni, Erster Band, 12. Kapitel.

32. *Venedig, Markusplatz*, gegen 1758.
Öl auf Leinwand, 46,4 x 37,8 cm.
National Gallery, London.

33. *Das Fensterkreuz des Querschiffs des Markusdoms, Richtung Norden*, gegen 1735.
Feder und Tusche, 27,2 x 18,8 cm.
Royal Collection Trust, London.
(S. 60)

34. *Venedig, Innenraum des Markusdoms während des Tages*, gegen 1755-1756.
Öl auf Leinwand, 36,4 x 33,4 cm.
Royal Collection Trust, London.
(S. 61)

Canaletto,
Erziehung und Begabung

Giovanni Antonio Canal kam am 18. Oktober 1697 in Venedig zur Welt. Sein viel bekannterer Beiname Canaletto, den er auf einer Reise nach London erhielt oder annahm, war nicht der einzige, er hatte, neben anderen, zu Zeiten auch den Beinamen *Il Tottino*. Tatsächlich benutzte Giovanni Antonio Canal selbst verschiedene Namen zum Signieren oder Schreiben: Canal, da Canal, Canale, Canalelo, Canaletti oder auch Canaletto. Daran hatte vor zweihundert Jahren niemand etwas auszusetzen. Unabhängig von der gesellschaftlichen Stellung war die richtige Schreibweise des Vornamens oder des Familiennamens nicht sonderlich wichtig, oft auch unregelmäßig. Daher ist es schwierig, von dem Prädikat, das wir von ihm kennen, auf eine adlige Herkunft oder auf eine legitime Benutzung zu schließen.

Antonio Maria Zanetti wollte Canaletto eine patrizische Herkunft zuschreiben, eine Zugehörigkeit zum Adelsgeschlecht *Da Canal*, das einen „… azurblauen Winkel auf Silber" im Wappen führte. Giovanni Battista Piazzetta dagegen brachte ein Wappen mit „… goldenem Winkel auf Azurblau" in seinem Porträt *Nobilis Venetus*, das er von Canaletto machte, mit ihm in Verbindung. Diese widersprüchlichen Darstellungen lassen daran zweifeln, dass der Meister der bezaubernden Darstellungen von Venedig je auf dem im Dogenpalast aufbewahrten Goldenen Buch als Abkömmling einer eminenten Familie geführt wurde. Aber was bedeuten schon die Vorteile und die Angehörigkeit zum Stand der Patrizier? Vielleicht gefiel ja Canaletto der aristokratische Klang des Namens, letztlich spielt es aber keine Rolle, ob er einer alteingesessenen venezianischen Familie angehörte oder nicht, ob er adlig war oder nicht; sein Talent allein, das er nur sich selbst verdankt, verleiht ihm einen höheren Wert, dessen Bedeutung seine Vorfahren weder vergrößern noch schmälern können.

Im Übrigen leben so wie die Apostel fast alle großen italienischen Künstler unter ihren Leihnamen in unserer Erinnerung fort, insbesondere die frühen Maler und die Neuschöpfer von Kunstbewegungen, Religionen und historischen Legenden. Giovanni Antonio Canal wurde Canaletto genannt (Sohn des Canal), wie Domenico di Tommaso Bigordi dann Ghirlandaio genannt wurde (sein Vater war Goldschmied und erfand die Girlande), man spricht nach wie vor von Andrea del Sarto (dessen Vater Schneider war, *Sarto* auf Italienisch), man sagt Tintoretto (sein Vater war Färber) und Veronese heißt so, weil er in Verona geboren wurde. Diese Namensgebung wurde vom 14. bis zum 18. Jahrhundert auf alle Maler angewandt. Es ist, als ob – und das ist das Schöne daran – die Namen geändert wurden, um dem Ruhm, den man damit verbindet, besser gerecht zu werden.

Es gab also trotz der bemerkenswerten Namensvielfalt nur einen Menschen: Giovanni Antonio Canal. Von 1719 bis ungefähr 1750, von seinen ersten Werken bis zu dem Moment, als sein Neffe Bernardo Bellotto es sich erlaubte, den prestigebehafteten Namen für sich in Anspruch zu nehmen, war er der einzige Träger des Namens *Canaletto*. Heute jedoch muss der Name für den Meister und seinen Schüler gleichermaßen gelten, und man darf unter dem berühmten Begriff Canaletto beide verstehen, sind sie doch nicht nur blutsverwandt, sondern auch verwandt durch die Spezialisierung und durch die künstlerische Größe. Es ist unmöglich, ihre nicht signierten Bilder aufgrund ihres Talents und der regelmäßigen Ausführung zu unterscheiden. Selbst in Bezug auf ihre verschiedenen Lebensepochen lassen sich keine tiefer gehenden kritischen Untersuchungen zu ihrer künstlerischen Persönlichkeit anstellen.

35. *Venedig, Innenhof des Dogenpalastes,* gegen 1756.
Öl auf Leinwand, 46,6 x 37,5 cm.
The Fitzwilliam Museum,
University of Cambridge,
Cambridge. (S. 62)

36. *Der alljährliche Besuch des Dogen in der Santa Maria della Salute,* gegen 1760.
Feder, braune Tinte und Tusche,
38,1 x 55,3 cm.
Privatsammlung.

Ohne Giovanni Antonio Canal hätte es jedoch nie einen Canaletto gegeben. Er ist der unbestrittene Schöpfer dieser architektonischen Malerei mit den betonten Perspektiven. Den Entdeckungen in seiner Lehrzeit entsprechend war er der Erste, der auf praktische und rationelle Weise von der *Camera Obscura* Gebrauch machte, die er fast immer benutzte. In gewisser Weise könnte man ihn als den Vorläufer von Nicéphore Niépce und Jacques Daguerre sehen. Aber Canaletto versuchte nicht, mit chemischen Mitteln die Bilder in der *Camera Obscura* festzuhalten. Er versuchte vielmehr, mit viel Einfühlsamkeit die im dunklen Kasten sichtbaren Visionen mit den seiner Technik und seinem Talent entsprechenden Pinselstrichen wiederherzustellen und bemühte sich, all den Farbwerten Ausdruck zu geben, die er auf so geniale Weise „einzufangen" wusste. Sicher gab es zahlreiche Vorgänger für diese architektonische Malerei, aber sie hatte noch keine feste Form. Der Weg war bereitet, Tiepolo hatte sich darin versucht, aber seine stürmische und ausschweifende Energie und seine Vorstellungskraft waren weit davon entfernt, der exakten, genauen und strengen Anordnung der venezianischen Architektur zu entsprechen.

Canalettos malerische Fähigkeiten sind unbestreitbar und zeigen sich bei jedem Blick auf eines seiner Bilder, viel schwieriger ist es jedoch, Licht auf sein Leben zu werfen. Durch den Mangel an biografischen Dokumenten kann sein Lebenslauf nur teilweise rekonstruiert werden. Wie den meisten Malern des 18. Jahrhunderts war ihm die Verbreitung seiner Werke ebenso wichtig wie der Hang zur Verschleierung seiner Person und seiner Lebensumstände, aus denen man die Elemente einer Biografie hätte entnehmen können. Die Künstler damals stellten sich nur selten außerhalb ihrer Ateliers zur Schau. Sie hatten kein Interesse daran. Ihr Ruf beruhte hauptsächlich auf ihrer hartnäckigen Arbeit in der Werkstatt. Die Idee, für sich in der Zeitung zu werben oder bei den eventuell interessierten Gesellschaftsschichten Aufmerksamkeit zu erwecken, diese Idee und dieses Verlangen nach einer Selbstinszenierung zugunsten der Eigenliebe und besserer Verkäufe der eigenen Werke kam diesen „fleißigen Bildermachern" nicht in den Sinn.

Tatsächlich betrachteten sich eindeutig alle, die gewerbsmäßig mit der Malkunst, mit der Gravur, der Architektur, der Bildhauerei oder der Dekoration zu tun hatten, als reine Handwerker. Sie beanspruchten keine anderen sozialen Privilegien für sich als jene, die den zahlreichen Produzierenden zustanden, den mit ihren Händen Arbeitenden, die den als gemeinnützig anerkannten Innungen angehörten. Kein Künstler versuchte, sich über diese Einordnung hinwegzusetzen oder sich mit arroganter Großtuerei zu brüsten. Sie alle stützten sich auf ihre gewissenhafte Arbeit und Mühe, um aus ihrer Technik das Beste zu machen, bemühten sich um die Feinheit und Qualität einer ordentlichen und methodischen Ausführung, um so das Ansehen und den guten Ruf zu erwerben, die in jenen glücklichen Zeiten die Belohnung für die Fleißigen und Tüchtigen waren. Selten sah man Kunstschaffende ihre Eitelkeit in die Öffentlichkeit tragen, in den Reden und Schriften ihrer Mitbürger nach Lob suchen oder ihren Ehrgeiz durch Streit, Intrigen und Bühnenauftritte aufs Höchste steigern, um mit wütender Entschlossenheit das Ziel anzustreben, als herausragende Sieger der Menge vorgestellt zu werden.

37. *Venedig, Die Piazzetta von Santa Maria della Salute aus gesehen*, gegen 1724.
Öl auf Leinwand, 172,3 x 136,5 cm.
Royal Collection Trust, London.

38. *Venedig, Kanalszene*, Datum unbekannt.
Öl auf Leinwand.
Aufenthaltsort unbekannt.
(S. 68-69)

39. *Einfahrt zum Arsenal,* gegen 1740-1745.

Feder und Tusche über Bleistift, 27,1 x 37,4 cm.

Royal Collection Trust, London.

40. *Blick auf das Arsenal*, gegen 1732.
Öl auf Leinwand, 47 x 78,8 cm.
Privatsammlung.

Das zurückgezogene Leben vieler genialer, erfindungsreicher und höchst geschickter Künstler hinterließ kaum Spuren, wenn der Tod ihren edlen Aktivitäten ein Ende setzte. Es blieb allenfalls die eine oder andere Urkunde einer Geburt, einer Heirat, einem Ableben. Der Rest blieb im Dunklen, verschwand und entzog sich der Neugier der Historiker. Man kann Treffpunkte nur vermuten, unscheinbare Cafés in praktisch verlassenen Stadtvierteln, in denen die Künstler sich abends nach dem Essen trafen, um zu plaudern, nachdem sie die Bürste, den Pinsel, den Stichel, die Palette, das Modellierholz, die Reißfeder oder die Kreiden und Pastelle zur Seite gelegt hatten. Ein bisschen Licht kommt in die Sache, wenn sie sich ins Ausland begaben, wenn sie von den Fürsten, Königen oder den Großen Kurfürsten im Deutschen Reich gerufen wurden, um den Mäzenen ihre Kunst zur Verfügung zu stellen. Ansonsten lebten sie zurückgezogen in ihrer Heimatstadt und führten kein großes Haus. Deshalb gibt es für Canaletto und sein Leben nur sehr wenige Zeugnisse, nicht einmal die richtige Schreibweise seines Namens ist bekannt. Einzig verbürgt ist durch die Geburt von Bernardo Bellotto, dass er eine Schwester hatte. Sie war wahrscheinlich jünger als er, hatte geheiratet und den Neffen zur Welt gebracht, an dem Canaletto umso mehr hing, als er aller Wahrscheinlichkeit nach Junggeselle war und selbst keine Kinder hatte.

Es gibt allerdings zwei Porträts von Canaletto. Das erste, ein Stich nach Piazzetta von Antonio Visentini, zeigt einen einnehmenden jungen Venezianer. In seinen Gesichtszügen liest man Offenheit und Intelligenz, das Gesicht ist rund, in den Augen ist ein lebhafter Glanz, auf den Lippen liegt ein Lächeln. Das zweite ist völlig anders. Die Gesichtszüge sind ausgemergelt, der Ausdruck zeigt Mattheit und der Blick scheint durch eine gewisse Melancholie getrübt. Auf dem Kopf trägt er eine große Perücke von der Art, wie sie damals in Venedig üblich war. Das kleine, nicht signierte Medaillon weist übrigens darauf hin, dass der Künstler Mitglied in der *Akademie der Argonauten* war. Canaletto betrachtete denselben Horizont wie seine berühmtesten Mitbürger, er hatte Freude an demselben Anblick; aus dieser fügsam akzeptierten Natur bezog er seine Fähigkeiten als Kolorist. Die außergewöhnliche Schönheit des Horizonts hat schon viele beeindruckt. Bei Canaletto findet man den azurblauen Himmel wieder, auf dem sich die großen, flockigen Wolken auftürmen, und das Blau in der Ferne hebt die warmen Töne im Vordergrund hervor.

Bernardo Canal war wahrscheinlich nicht reich und verdiente seinen Lebensunterhalt mit dem Malen von Bühnenbildern, einem im damaligen Venedig blühenden Kunstzweig. Seiner Begabung verdankte er vermutlich die Anerkennung seiner gut situierten Zeitgenossen, die ihm eine besondere Hochachtung entgegenbrachten, wie sie nur den wahren Meistern in dieser Kunst gebührt. In der gleichen Zeit bewiesen Sebastiano Ricci und Gregorio Lazzarini, die Gaspare Diziani zum Schüler hatten, außergewöhnliche Fähigkeiten als Perspektivenmaler und ein Gefühl für die Architektur, das auf einem positiven Verständnis und einer bemerkenswerten Sicherheit beruhte.

Der Beruf des Bühnenmalers beschränkte sich nicht einfach darauf, irgendeinen Garten, einen gewöhnlichen Platz, einen Salon oder einen Gemeindesaal oder etwa ein paar Kaimauern in der Lagune zu malen. Er verlangte ein profundes Wissen und die Begabung zu gewagten und originellen Entwürfen. Venedig hatte im 18. Jahrhundert einige Theater mehr als Paris, wo es nur vier oder fünf gab, während man in der Serenissima sieben bis acht zählte. Diese Säle hießen nach den Gemeinden, in denen sie sich befanden. Die bekanntesten venezianischen Bühnen waren

41. *Venedig, Piazza Santi Giovanni e Paolo*,
gegen 1725.
Öl auf Leinwand, 125 x 165 cm.
Gemäldegalerie Alte Meister,
Staatliche Kunstsammlungen
Dresden, Dresden.

42. *Venedig, Markusplatz*, 1742-1744.
Öl auf Leinwand, 114,6 x 153 cm.
National Gallery of Art,
Washington, D.C.
(S. 74-75)

San Moise de Canale Reggio, San Samuelo, Sant'Appollinaire, Santa Marina, San Salvadore und *San Fantino*. Das Programm wurde ständig geändert, deshalb gab es durch die Erneuerung der Bühnenbilder sicherlich viel Arbeit. Die italienische Komödie war zwar oft grob und stand der possenhaften Farce nah, sie konnte aber manchmal auch ins Traumhafte entführen. Wenn sie in einer Märchenwelt spielte, brauchte man seltsame und märchenhafte Bühnenbilder mit erdachten Landschaften, fantastischen Palästen und Wäldern aus Riesenbäumen, die das Auge mit Blicken auf frei erdachte Traumgegenden erfreuten.

Canalettos Vater arbeitete lange Zeit mit Luca Carlevaris zusammen und erhielt so eine technische und kulturelle Ausbildung von höchster Qualität. Der Luca di cà Zenobio genannte Carlevaris, ein herausragender Künstler, war nicht nur Bühnenmaler, sondern auch ein ausgezeichneter Landschaftsmaler, ein konkurrenzloser Meister der Perspektive und ein höchst verdienstvoller Kupferstecher. Er veröffentlichte 1706 einen Band, *Hundert Ansichten von Venedig*, dessen Platten mit solcher *Maestria* eingeritzt sind, dass sie ihm zur höchsten Ehre gereichen und ihm noch heute die Bewunderung der bildverliebten Sammler garantieren.

Canaletto begann sehr früh, mit seinem Vater zusammenzuarbeiten und erwarb durch die Ausübung des väterlichen Berufs die manuelle Gewandtheit, den sicheren Blick und den geschickten Umgang mit dem Pinsel, wovon die Qualität seiner Werke zeugt. Natürlich fand *Il Trottino* im Umgang mit seinem Lehrer Bernardo Canal und dessen Freund und Mitarbeiter Carlevaris ein ideales Umfeld, das seiner künstlerischen Ausbildung zugute kam. Er lernte zugleich die architektonische Perspektive in der Landschaft, die harmonische Zusammenstellung von Bildobjekten in einem Ensemble und auch die Kunst der Radierung und der Ätzradierung, die er zu einer vor ihm nie erreichten Vollkommenheit bringen sollte. So verbrachte Canaletto einen Teil seiner Jugend in der väterlichen Werkstatt, wo er illusionistische Malereien auf große, auf dem Boden ausgebreitete Tuchbahnen auftrug, die dann als Bühnendekorationen für die szenische Handlung der *Commedia dell'Arte* benutzt wurden. Die maskierten Figuren, Pantalon, Harlekin, Polichinella, der Doktor von Bologna, Zerbinetta, Isabella und Colombina, der Kapitän Spaventa, Pierrot und Scaramuccia spielten dann vor diesen in Trompe-l'oeil-Manier angefertigten Bühnenbildern gegen das lärmende Publikum an, in Stücken, deren Handlung vorgegeben war und die sie zum Teil improvisierten. Von seinem sechzehnten bis zu seinem zwanzigsten Lebensjahr malte Canaletto Bühnenbilder. Dies machte ihn zweifellos mit der schwierigen Kunst der Perspektive vertraut, die im 18. Jahrhundert wahrscheinlich wie nie zuvor entwickelt und perfektioniert wurde.

Bald jedoch wurde er dieser groben, alles in riesigen Proportionen verzerrenden Theaterperspektiven überdrüssig. Deshalb zerbrach sich *Il Trottino* den Kopf darüber, wie er der gekünstelten, kurzlebigen, täuschenden Theatermalerei entkommen könne, um sich endlich ganz den Staffeleibildern zu widmen, für die er sich geschaffen glaubte. Der Sohn wollte höher hinaus als sein Vater und eine feinere, weniger prekäre Kunst anstreben, die seinem Hang zur künstlerischen Synthese besser entsprach. Nach und nach hatte sich in ihm eine Leidenschaft für alle Aspekte seiner geliebten Stadt Venedig entwickelt, er spürte, wie sie Form annahm und wollte zum anerkannten Porträtisten der Stadt werden.

43. *Rom, Aufgang zum Campidoglio*,
Datum unbekannt.
Öl auf Leinwand, 52 x 61,5 cm.
Privatsammlung.

Rom und die ersten Jahre

Die Landschaftsmalerei in der venezianischen Kunst war ungefähr ein Jahrhundert lang, also etwa seit dem Tod von Tintoretto, so gut wie nicht vorhanden gewesen. Unter dem Einfluss einiger Maler aus Belluno erwachte sie zu neuem Leben: Sebastiano Ricci etwa und sein Neffe Marco bemühten sich, die Natur zu verherrlichen und bevölkerten sie mit archäologischen Monumenten und mit allegorischen Figuren im Pastoralstil. Überall war der Einfluss von Nicolas Poussin und Claude Lorrain spürbar, die mit soviel Empfindungsvermögen der Landschaft Glanz verliehen hatten, indem sie sie mit klassischen Themen ausschmückten, die aus erhabenen Architekturen der Antike und aus idyllischen Figuren, Hirten oder Nackten, bestanden. So passten sie die Landschaft dem menschlichen Maß an und verliehen den poetischen Kompositionen eine besondere Harmonie.

Canaletto wurde von den frühen Werken von Giovanni Paolo Pannini beeinflusst, er war aber auch empfänglich für den klaren und wehenden Stil von Tiepolo. Der italienische Maler und Dichter Giovanni Andrea Zanotti berichtet über Canaletto, dass er seinen Traum vom Aufstieg sehr früh verwirklichte. Sein Ehrgeiz bestand ja darin, bald zum Porträtisten all der Ansichten, Aspekte, Figuren, Landschaften, Ereignisse, Perspektiven, Charaktere und Szenen zu werden, die sein geliebtes Venedig zu allen Zeiten des Tages bot, und die er auf seinen Spaziergängen durch die verschlungenen Gassen der Stadt entdeckte. Er begeisterte sich auch für eine individuelle und eigenständige Technik, mit der er die präzisen architektonischen Linien, die er darstellen wollte, durch flimmernde Farben aufwerten konnte, wodurch er ihnen einen besonderen Charme verlieh. Diese Stadt voller rosafarbener, weißer und perlmuttartiger Spiegelungen im Hin und Her der plätschernden Wellen forderte ihn heraus. Das unvergleichliche Licht in seiner Vielfalt, das wie ein Lächeln in der Sonne war, und die aus allen Blickwinkeln malerische Schönheit ließen ihn nicht mehr los.

In sehr kurzer Zeit erwarb sich Canaletto einen glänzenden Ruf in Venedig. Man gestand ihm eine eigene Sichtweise zu, ein neues Gespür für die Anordnung, die man an seinen frühen Bildern sofort erkannte und schätzte. Anscheinend waren die wenigen Jahre, die er mit der Bühnenmalerei zubrachte, für ihn ausreichend gewesen, um sich seines Wertes bewusst zu werden. Sobald er die notwendigen Studien zur Festigung seiner Zeichentechnik beendet hatte, brach er mit kaum zweiundzwanzig Jahren nach Rom auf.

Damals hatte er bereits den Weg seiner sehr speziellen bildnerischen Kunst eingeschlagen, die seinen Ruf begründen sollte. Er glaubte, nun gut genug zu sein, die Kulissen endgültig zu 'exkommunizieren', wie er selbst sagte. Eines schönen Morgens kam er also in der Ewigen Stadt an und klopfte an die Tür des achtundzwanzigjährigen Giovanni Paolo Pannini, den er in Venedig kennengelernt und der ebenfalls als Bühnenmaler begonnen hatte. Pannini war sehr erfolgreich und bereute es sicher nicht, seine Heimat Piacenza verlassen zu haben. Er hatte eine Schule für dekoratives Malen gegründet, die von römischen Künstlern besucht wurde, denen er die „Wissenschaft von der Perspektive" beibrachte. Seine größte Freude, wie er gestand, waren seine regelmäßigen Spaziergänge durch die Ruinen des antiken Roms. Hier arbeitete er für sich selbst und machte dann und wann Skizzen, mal von der Statue Marc Aurels, mal vom Inneren des Petersdoms oder vom Kolosseum, die er dann in seinem Atelier ausführte.

44. *Rom, Der San Giovanni-Platz in Latero*, Datum unbekannt. Öl auf Leinwand. Privatsammlung.

45. *Rom, Blick auf den Navona-Platz.*

Öl auf Leinwand.

Hospital Tavera, Toledo.

46. *Rom, Blick auf den Navona-Platz,*
    Datum unbekannt.
    Öl auf Leinwand, 39,5 x 68,5 cm.
    Tokyo Fuji Art Museum, Tokio.

47. *Rom, Der Quirinal-Platz,*
    Datum unbekannt.
    Öl auf Leinwand, 39,5 x 68,5 cm.
    Tokyo Fuji Art Museum, Tokio.
    (S. 82-83)

Pannini war vor allem ein Anhänger der landschaftlichen Komposition, die er mit monumentalen Ruinen und Figuren aus der Antike übersäte und bei deren Entwürfen er sich um eine üppige Anordnung und um genau abgegrenzte Schatten bemühte. Dieser Meister war nicht viel älter als sein neuer Schüler. Er lehrte ihn aber den Respekt vor den Motiven und vor der Natur und weckte in ihm das Genie des Architekturmalers, das der Schüler in der Genauigkeit der Linien und in der Wärme der Farbgebung sowie in der Virtuosität des Pinselstrichs und in der Harmonie der Proportionen weitgehend erweitern und ausbauen sollte. Canaletto folgte übrigens nur dem Geist der Zeit. Marco Boschini bereitete *Les Riches Minières* vor, Tomasso Fontana sammelte zahlreiche Unterlagen für sein prachtvolles Werk *Il fiore di Venezia ossia i quadri, i monumenti, le vedute e i coslumi veneziani rappresentati in due cento incisioni e seguite da abili di Venezia* [1]; außerdem standen die beiden

Bände von *Il gran teatro della pitture e perspettive di Venezia* [2] kurz vor der Veröffentlichung.

Nun wohnte Canaletto in Rom, hatte nur geringe Mittel und musste zweifellos manchmal wieder zu seinen breiten Bühnenmalerpinseln greifen. Ansonsten zeichnete er vor allem nach der antiken und christlichen Architektur. Das Äußere der Monumente faszinierte ihn, er stand vor den Ruinen und

zeichnete ununterbrochen im Freien. Hier begegnete er sicher oft Pannini [3], der ein feines Gespür bei der Anordnung der Architekturen entfaltete, indem er tatsächlich vorhandene Elemente, die Tempel, die Säulen und die Triumphbögen, die Poussin und Gaspard in den Hintergrund ihrer Bilder verdrängt hatten, in erdachten Ensembles zusammenstellte. Pannini war mit gutem Grund stolz darauf, Schüler von Andrea Locatelli (1693-1741) und des Florentiners Benedetto Luti (1666-1724) gewesen zu sein und rühmte sich seines täglich wachsenden Erfolgs, auch wenn seine Arbeiten manchmal zu Recht als ungenau oder eben erdacht kritisiert wurden. Auf seine Weise war er ein wirklichkeitsfremder Illustrator, der sich in seiner Sicht der Dinge leicht täuschte, die er genau wiederzugeben glaubte. Er war Mitglied der Akademie San Luca in Rom und brachte sein kunstvolles Talent gerne auf kleinen Rahmen zum Ausdruck und es gefiel ihm auch, die tragische Größe des Alten Forums auf wirklich kleinstem Raum darzustellen. Pannini hatte das angeborene künstlerische Gespür seines neuen Freundes bald erfasst. Er ließ ihn an der Verehrung teilhaben, die er für den Maler Salvator Rosa (1615-1673) hegte, und legte ihm seine neu entwickelten Vorstellungen von der Malerei dar, die er sich auf eine in ihrer Art feierliche, seltsam romanhafte Weise zurechtmachte, und die so gut zum altertümlichen Genre des Landlebens passten.

War jedoch Canaletto ausreichend mit der klassischen Literatur vertraut, um zu verstehen, welches Prestige und welche Erinnerungen einfache alte Steine trugen? Tatsächlich scheint Rom weniger seinen Geist als seinen Blick angesprochen zu haben, und was ihm in der Ewigen Stadt am meisten gefiel, waren die gelungenen Kombinationen von Linien, die warmen und harmonischen Farbtöne der rissigen Mauern, das schöne Spiel des Lichts auf den Fassaden der Gebäude. Er ließ sich nie dazu herbei, diese „Mosaike" aus entliehenen Motiven und gewagten Aneinanderreihungen auszuführen, an denen sein Freund solche Freude hatte. Er fühlte sich nicht imstande, ihn zu überzeugen, dass die Wirklichkeit schön genug war, um so dargestellt zu werden, wie sie ist. Allerdings gab er bald zu, dass Rom sein Herz nicht berührt hatte und dass seine Seele im Land der Lagunen geblieben war.

48. *Rom, Capriccio mit Ruinen nach Art des Forums*, gegen 1725-1733. Öl auf Leinwand, 31,2 x 39,5 cm. Royal Collection Trust, London.

49. *Rom, Capriccio, Ruinen und antike Gebäude*, 1746. Öl auf Leinwand, 62 x 74 cm. Galleria dell'Accademia, Venedig. (S. 86-87)

Er sehnte sich nach seinem geliebten Venedig und es betrübte ihn, dass er nicht den Löwen von Sankt Markus auf seiner hohen Marmorsäule malen konnte oder wenigstens das schmale Kupferdach des Campanile mit seiner pistaziengrünen Verfärbung oder gar die herrliche Anordnung des Dogenpalastes, neben dem sich die Basilika mit ihren frommen Mosaiken und ihrer zutiefst christlichen Andacht majestätisch erhebt.

Wenn er manchmal, um etwas zu verdienen, wieder für die Bühne malte, gelang ihm die Arbeit weniger schnell und weniger gut als in den Tagen, als er in der väterlichen Werkstatt mit sicherer Hand die Fluchtlinien und die dazugehörigen Winkel der Anordnung der Plätze und Gassen entsprechend zog. Er war so von dem Gedanken besessen, nach Venedig zurückzukehren, dass er plötzlich beschloss, seinen Aufenthalt in Rom zu beenden, um so schnell wie möglich zu seinem Canal Grande und zu seiner Giudecca zurückzukehren, zu der Lebhaftigkeit an der Dogana, wo er so gerne den Blick auf das Licht, auf das Leben und auf die Farben warf.

Er beendete innerhalb einer Woche das Bild *Blick auf das Kolosseum*, das sich heute in London befindet, dann verließ er die Ewige Stadt, in der es ihm nicht mehr gefiel und in die er danach nie mehr zurückkehren sollte. Wie viel Zeit hatte er in der Gesellschaft von Pannini verbracht? Man kann annehmen, dass er sich etwas länger als zwei Jahre in der alten Kaiserstadt aufhielt, denn es gibt zahlreiche Romstudien in seinem Werk, und selbst wenn er einige davon erst später nach den hastig erstellten Skizzen malte, so kann man davon ausgehen, dass er, gemessen an seiner relativen Langsamkeit, erst Anfang der 1720er Jahre nach Venedig zurückging. In seinem Gepäck hatte der junge Bühnenspezialist genug Material für viele Rombilder, die er später in seinem Atelier in Venedig oder auf seinen Reisen im Ausland ausführen sollte.

Rückkehr nach Venedig

Bei der Rückkehr in seine Geburtsstadt war er wie zuvor hingerissen vom Glanz ihres Himmels, von dem außergewöhnlichen Anblick der Kanäle und von den malerischen Palästen, und die Serenissima sollte von nun an sein liebstes Modell werden. In Venedig sah er auch Luca Carlevaris (1665-1731) und Marco Ricci (1676-1730) wieder, die von ihren Zeitgenossen nicht nur für ihre Landschaften, sondern auch für ihre Perspektivbilder hoch geschätzt wurden. So hatte zum Beispiel der reiche Venezianer Girolamo Molin einige ihrer Werke in einem Saal zusammengehängt. Auf den Bildern Marcos hatte dessen Onkel Sebastiano Ricci (1659-1734) die Figuren hinzugefügt. Canaletto übertraf seine Kollegen bald an Ansehen und sie wurden, nach Lanzis von Dante entliehenen Worten, „… aus ihrem Nest geworfen."

In Rom war sich Canaletto seiner Bestimmung bewusst geworden. Als er den Marmor und die Pracht des Canal Grande wieder sah, wusste er genau, was er von dem künstlerischen Glanz seines großartigen Venedigs erwarten konnte, der funkelnden Stadt, wenn es eine gab, die in ihren Farben immer neu und bezaubernd war wie eine Geliebte, die mit immer neuen Reizen verführerisch aussah.

50. Rom, Capriccio mit Ruinen eines Triumphbogens, gegen 1735-1740. Öl auf Leinwand, 52,7 x 65,9 cm. Royal Collection Trust, London.

51. Rom, Der Triumphbogen des Titus, 1742. Öl auf Leinwand, 192,2 x 106,5 cm. Royal Collection Trust, London. (S. 90)

52. Rom, Ruinen des Forums, Richtung Kapitol, 1742. Öl auf Leinwand, 190 x 106,2 cm. Royal Collection Trust, London. (S. 91)

SENATVS
POPVLVS QVE ROMANVS
DIVO TITO DIVI VESPASIANI F
VESPASIANO AVGVSTO
ANT CANAL FECIT
ANNO MDCCXLIII

IMP·CAES·FL·CONSTANTINO·MAXIM
P·F·AVGVSTO·S·P·Q·R·
QVOD·INSTINCTV·DIVINITATIS·MENTIS
MAGNITVDINE·CVM·EXERCITV·SVO
TAM·DE·TIRANNO·QVAM·DE·OMNI·EVS
FACTIONE·VNO·TEMPORE·IVSTIS
REMPVBLICAM·VLTVS·EST·ARMIS
ARCVM·TRIVMPHIS·INSIGNEM·DICAV
VOTIS·X
VOTIS·XX
ANT·CANAL·FECIT
ANNO·MDCCXLII

Von nun an kam es ihm nicht mehr in den Sinn, kurzlebige Bühnenbilder für die berühmten Theater anzufertigen, in denen Gozzi und Goldoni rivalisierten. Er nahm sich auch nicht vor, in der Art von Pannini die monumentalen Überreste einer antiken Stadt zu malen. Er fühlte sich ganz und gar als Venezianer. Venedig erschien friedlich, reizend und bezaubernd in den Augen eines Verliebten, der das unvergleichliche Modell bewunderte. Von nun an würde er sein Talent der schläfrigen Schönheit dieser trägen, standesbewussten, langmütigen und überlegen ruhigen Stadt widmen, die einst die gebieterische, fast despotische Königin der Adria und des Orients gewesen war. Er lebte nur für sie. Er wurde unsterblich dadurch, dass er sie von allen Seiten sah, dass er ihre Schönheit aus den verschiedensten Blickwinkeln verehrte. Er spürte, dass er durch sie zum Ruhm gelangen konnte, indem er sie feierlich erhob und unaufhörlich porträtierte.

Gleich bei seiner Rückkehr hatte Canaletto das Glück, nach Herzenslust arbeiten zu können. Er bekam regelmäßig Aufträge sowohl von einem bekannten und aufgeklärten Kenner, dem Grafen Franceso Algarotti, als auch von dem englischen Konsul Smith, der eine wichtige Rolle in seinem

Leben spielen sollte [4]. Fünfundzwanzig Jahre lang blieb Canaletto in Venedig, ohne es zu verlassen und arbeitete ununterbrochen. Über dieser arbeitsreichen Periode seines Lebens liegt dichter Nebel, völlige Stille. Nur die Museen nennen seinen Namen, nicht aber die Schriften, Nachrichten und Chroniken der damaligen Zeit. Hunderte von Gemälden zeugen davon, dass dieser Maler pausenlos arbeitete und seine Technik verbesserte, indem er jedes Jahr fünfundzwanzig bis dreißig Ansichten von Venedig schuf. Das ist beträchtlich für eine Zeit, in der die Gemälde langsam, methodisch und detailliert ausgeführt wurden, weil die Genauigkeit der zahllosen Details und der Vollendung eine große Sorgfalt verlangten, die in allen Bildern, die er malte, zu sehen ist.

Sein frühes Werk, die römische und die venezianische Periode mit eingeschlossen, umfasst mehr als neunhundert Gemälde. Es gibt nur wenige präzise Daten seines ganz und gar von seinem schöpferischen Willen bestimmten Lebens. Man weiß zum Beispiel, dass Canaletto im Lauf des Jahres 1730, als die venezianischen Glasbläser ihren besten Handwerker, Briati, zur Ausbildung zu den böhmischen Glasbläsern schickten, und der Franzose Dorigny sein großes Fresko in der Jesuitenkirche fertigstellte, eines seiner größten Meisterwerke, *Santa Maria della Saluta*, ausführte. Das wunderbare Gemälde, das lange Zeit als sein größtes Meisterwerk galt, wurde später zusammen mit vier bedeutungslosen Bildern zu der bescheidenen Summe von 18 000 Francs von Ludwig XVIII. (1755-1824) erworben. Heute hängt das Gemälde im *Louvre*.

„Er hat gearbeitet". Das ist in etwa alles, was man mit Sicherheit über Canaletto sagen kann. Zwischen seiner Rückkehr aus Rom und seinem Weggang nach London in den ersten Tagen des Jahres 1746 weist nichts auf seine Anwesenheit in Venedig hin. Der Maler war ganz in sein Schaffen vertieft, in seinem Atelier in der Nähe seiner Wohnung, an seiner Staffelei irgendwo im Freien, oder in seiner als Atelier eingerichteten Gondel. Nur seine Werke zeugen von seiner Existenz. Dies erklärt sich zum Teil dadurch, dass Venedig sich vom restlichen Italien nicht nur durch seine Verfassung unterschied, sondern auch durch sein Klima und durch seine Bewohner.

53. Rom, Der Triumphbogen
des Konstantin, 1742.
Öl auf Leinwand, 185,3 x 106 cm.
Royal Collection Trust, London.

Sobald man sich in die Lagune begibt, sieht man keine Bäume und Pflanzen mehr, dennoch zeigt sich ein üppiges Leben im Reichtum der Formen und der Farbtöne. Die Konturen heben sich nicht scharf vom Hintergrund ab, sie verschwimmen harmonisch mit dem unsichtbaren Dunst, der immer in der Luft liegt. Nur in Venedig wird die Sonne geschätzt, wie ja auch die Holländer jeden flüchtigen Sonnenstrahl freudig begrüßen. Besonders Canaletto hatte das Spiel des Lichts auf den Mauern der Gebäude und auf der bewegten Oberfläche der Kanäle eingehend studiert. Das Meer erschien von allen Seiten mal blau und grün, dann im Widerschein vom Rot und Gold der Dämmerung, und dann wieder glänzend wie ein zitternder silberner Spiegel. Der Blick ist pausenlos beschäftigt, man kann stundenlang den Pailletten zusehen, die auf den Wellenkronen glitzern, die wechselnden Wirkungen des Lichts betrachten oder die Pracht der in ihren Umrissen unbewegten Gebäude, die in unendlich vielen Farben variieren.

In einem erstaunlich modernen Schreiben beschrieb der Dichter Aretino diese Eindrücke sehr genau. Tizian, an den er schrieb, hätte es nicht besser ausdrücken können:

„Mein lieber Freund" schrieb er, „entgegen meinen Gewohnheiten habe ich heute allein gespeist, oder vielmehr, in Gesellschaft der Appetitlosigkeit infolge dieses Fiebers, das mir den Geschmack aller Speisen verdirbt. Ich erhob mich gesättigt von dem verzweifelten Ärger, den ich in mir spürte; dann blickte ich auf das wunderbare Schauspiel der zahllosen mit Venezianern und Ausländern gefüllten Boote hinaus, das nicht nur die Beteiligten, sondern auch den Canal Grande mit Freude erfüllt, und da ich mir selbst lästig war und nichts mit mir anzufangen wusste, sah ich zum Himmel hinauf. Noch nie, seit Gott den Himmel geschaffen hatte, war er so schön mit Licht und Schatten ausgestattet gewesen! Die Luft war so, wie sie jene gerne machen würden, die auf Tizian neidisch sind, weil sie nicht Tizian sein können… Da waren zuerst die Gebäude, die, obwohl sie aus hartem Stein sind, ganz unnatürlich aussahen, dann schien das Tageslicht an manchen Orten rein und lebhaft und an anderen Stellen trüb und schwach. Stellt Euch dann noch eine andere Herrlichkeit vor: Die mächtigen und vollgesogenen Wolken gingen im Vordergrund bis auf die Dächer der Gebäude herab, während sie weiter entfernt bis zur Hälfte ihrer Masse dahinterlagen. Die ganze rechte Seite war von blasser Farbe in einem verwaschenen Grau, Braun und Schwarz. Ich bewunderte die vielfältigen Farbtöne, die diese Wolken am Himmel ausbreiteten, von denen die näheren wie die Flammen der Sonne strahlten, und die weiter entfernten zinnoberrot erglühten. Oh! Was für schöne Pinselstriche, die die Luft zur Seite hin färbten und sie hinter den Palästen zurückdrängten, ganz wie Tizian in seinen Landschaften! An manchen Stellen erschien ein azurblaues Grün, an anderen ein grünes Azurblau, eigenwillig von der Natur, der Meisterin aller Meister, so vermischt. Sie allein ließ hier mit hellen und dunklen Farbtönen die Formen zerfließen und wieder neu entstehen, wie es ihr gefiel. Und da ich weiß, dass Euer Pinsel die Seele Eurer Seele ist, rief ich drei oder vier Mal aus: Tizian, wo seid Ihr? …"

Man muss zugeben, dass die Landschaft von Menschenhand ergänzt wurde. Von den rosafarbenen und weißen Fassaden, die sich in den Kanälen spiegeln und die Illusion einer Traumstadt vermitteln, sind viele Wunderwerke des Geschmacks und der Fantasie. Nie haben Stein oder Marmor eine poetischere Form angenommen. Aus der Kombination zwischen orientalischem Stil und gotischer Kunst entstand ein besonderer architektonischer Stil mit einer äußerst eigenwilligen und reichen Ornamentik.

54. *Rom, Das Kolosseum und der Konstantinsbogen*, Datum unbekannt. Öl auf Leinwand, 61 x 98 cm. Privatsammlung.

55. *Rom, Die Basilika von Massenzio*, Datum unbekannt. Öl auf Leinwand. Privatsammlung. (S. 96-97)

Es scheint, als ob die venezianischen Bauherren, durch die wiederholte Verwendung von kleinen Säulen in Schlangenform und aus Porphyr, durch die außergewöhnliche steinerne Ausschmückung der Kapitelle und durch die sorgfältig ausgearbeiteten Mosaike vor allem schmucklose und kühle Gebäude aus ihrer Stadt verbannen wollten, die einen traurigen Anblick bieten könnten. Wenn das ihr Ziel war, haben sie es auf wunderbare Weise erreicht.

Die Reisen nach London

Berauscht von der Schönheit dieser Stadt blieb Canaletto verhältnismäßig sesshaft. Er verließ Venedig nur selten zu Ausflügen nach Padua, Verona oder zu benachbarten Orten, zweimal machte er eine Reise nach England. Dabei wurden die venezianischen Maler sonst leicht zu Nomaden. Sie trugen ihr Talent gern an die europäischen Höfe, an die ihnen in der Regel Dichter oder Musiker aus ihrem Land vorausgegangen waren.

Die Künstler reisten gern durch Europa. Wir haben diese Beweglichkeit der Reisenden in Sachen Kunst im 18. Jahrhundert bereits erwähnt. Obwohl jedoch Canaletto wenig daran teilgenommen hatte, war er in London, Paris, Wien und an den kleinen Höfen im Norden erfolgreich: ferne, schimmernde Trugbilder, die die meisten großen venezianischen Maler aus ihrer auf Pfählen erbauten Stadt lockten. Zu dieser Zeit gab es keine regelmäßige Post und sie kam auch nicht immer an, die Postkutschen hatten oft Verspätung und die Kutscher schliefen so manche Nacht am Straßenrand. Umso erstaunlicher ist die sorglose Leichtigkeit, mit der Künstler, Musiker, Schriftsteller, Abenteurer, Sängerinnen, Tänzerinnen und nicht zuletzt auch Kurtisanen ihre Heimatstädte verließen, auf Reisen gingen und Strapazen und Gefahren der Straße auf sich nahmen. So war etwa Sebastiano Ricci sein Leben lang unterwegs; Tiepolo starb als Maler am spanischen Hof; die einen gingen nach Wien, andere nach Dresden oder Warschau wie Bellotto; wieder andere, wie Pietro Rotari, schlossen sich der russischen Kaiserin in Sankt Petersburg an. Wer nicht berühmt war, ging in die kleinen, kunstliebenden, politisch aber unbedeutenden Fürstentümer, die ihre Budgets zum Wohle der Künstler großzügig verschleuderten.

Sie waren auf eine gewisse Weise viel weniger Stubenhocker und Gewohnheitsmenschen als die Künstler des folgenden Jahrhunderts, die trotz der großartigen, täglich schneller werdenden Fortbewegungsmittel zu Hause blieben, schwer zu einer Reise ins Ausland zu bewegen waren und längere Aufenthalte weit ab vom gewohnten Mittelpunkt ihres Lebens verabscheuten.

So konnte man den Venezianer Canaletto trotz seines häuslichen Charakters von 1746 bis 1748 am Ufer der Themse antreffen. Er war bereits fünfzig Jahre alt, als er in London arbeitete. Alle die Künstler, die damals unterwegs waren, waren ihm darin Vorbild. In England erfuhr er vom Tode Philippe Meusniers, eines Architekturmalers, dem er sehr wahrscheinlich in Venedig begegnet war, da dieser sich dort als berühmter Meister der Perspektive hervorgetan hatte, noch bevor er die Kapelle in Versailles dekorierte. Canaletto ging auf Anraten des aktiven Vermittlers Konsul Joseph Smith nach England, wo er fast Joshua Reynolds (1723-1792) begegnete wäre, der seinerseits auf dem Weg nach Italien war. Beinahe hätte er auch seinen Freund und vielleicht zeitweiligen Mitarbeiter Tiepolo getroffen, der gerade in Würzburg die Fresken beendet hatte, die man noch heute dort sehen kann. Die Ankunft des Venezianers in London fiel mit den großen Erfolgen Händels zusammen,

56. *Venedig, Capriccio, Palladios Entwurf für die Rialtobrücke*, 1743-1744.
Öl auf Leinwand, 90,5 x 130 cm.
Royal Collection Trust, London.

57. *Venedig, Blick auf den San Marco-Platz*, gegen 1723-1724.
Öl auf Leinwand, 141,5 x 204,5 cm.
Museo Thyssen-Bornemisza, Madrid.
(S. 100-101)

dessen *Judas Maccabaeus* dort gerade gefeiert wurde. Hier erfuhr er auch, dass sein Neffe Bellotto, der sich damals in Polen aufhielt, auf dem besten Weg war, sich in der besten und reichen Gesellschaft von Warschau einen Namen zu machen.

Als Canaletto mit dem besten Leumund ausgestattet in London lebte, kam er bald in Kontakt mit allen Künstlern seiner Zeit. Lords luden ihn in der Stadt und auf ihre Landsitze ein und der Maler wurde nach und nach in der besten Gesellschaft berühmt. Diese schätzte zugleich seine diskrete und uneitle Persönlichkeit so wie auch seine unvergleichliche Beherrschung der Darstellung von Gärten, Schlössern, Palästen und sogar Jagdpavillons im schönen Land der Angelsachsen. Er verstand sich darauf, die Seele und die Charakterzüge der Architekturen wiederzugeben und fügte sie harmonisch in leuchtende und schillernde Landschaften ein. Die Engländer waren von seinem Talent begeistert und er bekam derart viele Aufträge, dass er sie wider Willen ablehnen musste, wenn sie seine Arbeitskapazität überstiegen, was oft vorkam. Er hatte einen solchen Erfolg, dass man über ihn, und das sagt alles, den großen Marco Ricci vergaß, der noch kurz zuvor in London eine so hohe Wertschätzung genossen hatte. Canalettos gerade beginnender Ruhm wurde noch durch Ricci überdeckt, und er hatte sich geschworen, ihn zu übertreffen und in den Schatten zu stellen. Heute aber erinnert man sich sofort an Canaletto, Marco Ricci dagegen ist offenbar in Vergessenheit geraten.

Canaletto hatte bereits eine gewisse Reife und einen leichten Überdruss erreicht, er konnte von seiner Arbeit leben, von seinen Fähigkeiten profitieren, sich seiner Virtuosität als Maler erfreuen, deren kraftvolle Lebendigkeit ihm nun vollends bewusst war. Er suchte nicht mehr; mit schnellem Blick erfasste er das zu behandelnde Motiv und führte dann mit rascher und sicherer Hand seine „englischen" Werke aus, die so interessant, so vielfältig und so zahlreich waren, dass sie die allgemeine Bewunderung der *Gentlemen* hervorriefen.

Sehr bald nach seiner Ankunft setzte sich Canaletto mit Smith in Verbindung, einem britischen Handelsvertreter in Venedig. Dieser Konsul war ein großer Kunstkenner und hatte nicht nur eine bedeutende Bildergalerie zusammengestellt, sondern auch eine Sammlung, die Ausländer auf ihren Reisen zu besichtigen nicht versäumten.

Unter tausend anderen Kunstgegenständen fanden sich dort auch viele wertvolle Bücher wie die Originalausgaben der berühmten Meisterwerke der venezianischen Buchdruckerkunst aus dem 15. und 16. Jahrhundert, der *Alde-Manuce*. Smith bestellte bei Canaletto unter anderem fünfunddreißig Bilder von Windsor, aber der Künstler lehnte die Bitte ab, da ihm der Schirmherr und *Gentleman* viel zu sehr auch *Businessman* war. Er öffnete seine Schatulle großzügig für fleißige Anfänger und hatte sich so den Ruf eines freizügigen Mäzens erworben – allerdings unverdient, wenn man nach seinem Handel mit Canalettos Werken urteilt. Tatsächlich behielt Smith die recht billig von dem jungen Venezianer erworbenen Bilder nicht selbst, sondern verkaufte sie mit hohem Gewinn an seine Landsleute. Hinzu kam, dass der Konsul aufgrund einer Abmachung, durch die der Maler letztendlich geprellt wurde, über Jahre hinweg die Arbeiten des unermüdlich Schaffenden an sich riss, einzig mit dem Ziel, sie nach London zu schicken.

58. *Venedig, Campo Santa Maria Zobenigo,*
   gegen 1732.
   Öl auf Leinwand, 47 x 78 cm.
   Privatsammlung.

59. *Venedig, San Marco-Platz,*
von San Geminiano aus gesehen,
gegen 1726-1729.
Öl auf Leinwand, 134,6 x 173 cm.
Royal Collection Trust, London.

60. *Venedig, Campo di Rialto,*
gegen 1758-1763.
Öl auf Leinwand, 119,3 x 186,6 cm.
Gemäldegalerie, Staatliche Museen
zu Berlin, Berlin.

Die Engländer, die bereits die etwas konventionellen Landschaften von Marco Ricci schätzten, nahmen diese lichtdurchfluteten Ansichten von Venedig umso freudiger auf. Als dem Künstler klar wurde, auf welche Geschäfte er da hereingefallen war, beschloss er, keine Zwischenhändler mehr einzusetzen. In Großbritannien bekam er ehrenvolle Aufträge für die Sammlung in Windsor und für die Galerie des Herzogs von Richmond. Er schuf, von seinen Zeichnungen abgesehen, viele Ansichten von der Themse und eine Innenansicht der Kapelle des *King's College* in Cambridge. Mariette behauptet, Canaletto habe ebenso viele Guineen wie Lobreden von seinen Reisen mitgebracht. Dennoch bekam er nach einiger Zeit Heimweh, der kalte Nebel machte ihm Schwierigkeiten, und nach ungefähr zwei Jahren im Exil machte er sich wieder auf den Weg in die Lagune.

Canaletto, der Porträtist der Serenissima

Canaletto fand also an den Canal Grande zurück, nachdem er in den fürstlichen Häusern der englischen Hauptstadt mit wärmster Sympathie empfangen worden war. Er hatte bemerkenswerte Bilder in England gelassen: Ansichten von *Vauxhall Gardens, White Hall, Northumberland House, Eton College* und von der Themse. Sie bezeugen seinen Aufenthalt auf der Insel und gereichen den Sammlungen von *Windsor, Dudley House, Devonshire House*, des *Soane Museum of Montague House, Sion House, Hampton Court*, der *National Gallery* und vielen Privatsammlungen zur Ehre, die alle bebilderte Kataloge veröffentlicht haben. Canaletto hatte schon ein gewisses Alter erreicht und hätte es sich in dieser Stadt gut gehen lassen können, die er schon lange zuvor zur Heimat auserkoren und dennoch zweimal verlassen hatte. Das geliebte Venedig, dessen Klima einem Mann seines Alters so viel besser bekam, und dessen unzählige Motive er noch lange nicht ausgeschöpft hatte. Aber die Schmeicheleien und Verführungen von London, dieser reichen, künstlerfreundlichen und in ihrer Gastfreundschaft so verschwenderischen Stadt, in der er mit Arbeit überhäuft worden war, hatten ihn zu einem Anhänger der britischen Insel gemacht. Der angelsächsische Einfluss hatte das Gemüt des Venezianers ergriffen, wie es zuvor schon den französischen Landschaftsgraveur und Nachahmer von Salvatorello, Joseph Goupy, verwandelt hatte, ebenso wie den Glasmaler Joseph Rice, den Graveur Bernard Baron, den Landschaftsmaler Lambert, der das Werk von Poussin treu, aber verblassend, fortsetzte, und so viele andere Maler, Bildhauer und Graveure, die einer nach dem anderen vom angelsächsischen Charme erobert worden waren.

So ging Canaletto kurze Zeit später erneut nach London. Wenn man den beiden signierten Bildern von Muller, *Ansicht von London, Vauxhall Gardens* und *Westminster, vom Somerset Garden aus* Glauben schenken darf, geschah dies gegen 1751. Er hatte sicher nicht mehr die gleichen Gründe und nicht mehr die gleichen Interessen zu vertreten wie bei seiner ersten Reise, und er musste sich nicht mehr im gleichen Maße vor den merkantilen Schachzügen des erfindungsreichen, aber betrügerischen Joseph Smith hüten. Der englische Konsul in Venedig hatte viel zu lange unter dem Deckmantel des Mäzenatentums seine Bilder an sich gerissen und gutes Geld damit verdient, indem er sie teuer an Landsleute in all den britischen Grafschaften verkaufte, mit denen der findige Händler in Kontakt stand. Canaletto ließ seither keine Zwischenhändler mehr zu. Direkte Verkäufe waren für ihn keine Schwierigkeit mehr; er war äußerst gefragt und konnte den Wünschen der Kunstliebhaber kaum mehr nachkommen. Vielleicht ist diese zweite Reise an die Themse auch allein dem Wunsch zuzuschreiben, so liebenswürdige Freunde wie den Herzog von Richmond wieder zu sehen, Freunde, die ihn in die Oberschicht von London und der benachbarten Bezirke eingeführt hatten.

61. *Venedig, San Marco-Platz von der Basilika aus*, gegen 1727-1729. Öl auf Leinwand, 172,3 x 133,7 cm. Royal Collection Trust, London.

Canalettos zweiter Aufenthalt in London fiel übrigens mit der Ankunft von Bernardo Bellotto in der britischen Hauptstadt zusammen. Es ist sehr wahrscheinlich, dass der Onkel den geliebten Neffen danach auf seinen Auslandsreisen begleitete. Alles weist drauf hin, dass die beiden zuletzt in Deutschland Abschied voneinander nahmen, vielleicht sogar in München, von dem Canaletto eine Ansicht malte, die heute in der Pinakothek dieser Stadt der Künste zu sehen ist. Den einen zog es nach Norden, wo er seine von Höhen und Tiefen durchsetzte Laufbahn als Maler an den Höfen mehrerer Könige in den deutschen Landen fortsetzte. Der andere kehrte treu zu seiner *Cara Venezia* zurück und machte auf dem Weg dorthin kurz in Verona und Padua Halt, wo er vermutlich als Kleinkind gelebt hatte – man glaubte, die Luft in Venedig sei der Gesundheit kleiner Kinder abträglich und schade ihrer Entwicklung.

Mit ihrer majestätischen Gelassenheit und ungebrochenen Anziehungskraft nahm die Lagunenrepublik ihren Maler mit der gleichen Zärtlichkeit auf, die er ihr Zeit seines Lebens als Anhänger ihrer Schönheit entgegengebracht hatte. Venedig bot seinem großen Canaletto zwar keine Wohnung in den Prokuratien, wie es das für Sebastiano Ricci getan hatte; es ermöglichte ihm nicht, „… in großen Zügen“ zu leben, wie man damals sagte; auch ließ es ihn seinen Lebensabend in seinem eher bescheidenen Haus in der Calle San Vito verbringen, aber es nahm den berühmten Porträtisten freundlich auf und gewährte ihm einen ruhigen Lebensabend und eine so vollkommene Lebensqualität, wie er sie nur wünschen konnte. Und trotz seines fortgeschrittenen Alters setzte Canaletto sein Werk fort. Er schuf noch zahlreiche Bilder, die ihm die Kunstfreunde mit goldenen Dukaten bezahlten.

Es wäre ziemlich schwierig, einen typischen Unterschied zwischen seinen frühen Jugendwerken und jenen, die aus der Zeit nach seiner Rückkehr aus England stammten, festzustellen, aber anscheinend konnten die Jahre weder seine Frische noch seine klare Sicht schwächen und auch seine Schaffenskraft nicht bremsen. Und was für Bilder er den Kunstliebhabern zeigte: Die schwarzen, kunstvoll behängten Gondeln, den Schwarm der Boote, die am Himmelfahrtstag den *Bucintoro* begleiten, die perspektivische Sicht auf den *Rialto* und den *Canal Grande* von einem Standpunkt zwischen dem *Palazzo Labia* und dem *Palazzo Foscari* aus. Oder die Handelsgeschäfte auf der *Piazza* mit ihren hübschen, pilzförmigen Schirmen aus Segeltuch, das malerische Durcheinander der Spitzen, Tücher und Kristalle, die Spaziergänger vor den *Prokuratien*, die noch vorhandene Kirche *San Geminiano*. Nicht zu vergessen die wunderbare Fassade von *San Marco*, die *Scala dei Giganti*, die *Santa Maria della Salute*, die er so gerne zu jeder Tageszeit und bei jedem Licht abbildete, den Kräutermarkt, die ärmeren Viertel um *San Nicolo*, die Korbflechter, die Bocciaspieler, die *Lazzaroni*, die *Matrones*, die Kinder und die Adligen mit Perücke und mit *Bauta*. Alles war für ihn Anlass, seine geliebte Stadtlandschaft zu malen oder mit energischer Kraft und geistvoller Nadel ins Metall zu ritzen, und mit seinem unermüdlichen Genie hatte er bis an sein Lebensende Freude daran.

An manchen Tagen schien der Meister die Themen erschöpft zu haben, die das variantenreiche und bunte Venedig seiner Zeit seinem Pinsel darbot. Dann rückte er von seinem strengen Urteil über das Vorgehen seines alten Freundes Pannini, der dem Rom der Cäsaren treu geblieben war, ab. Canaletto begann, wie später auch Joseph Mallord William Turner (1775-1851), Félix Ziem (1821-1911) und so viele andere Porträtisten der venezianischen Fassaden, erdachte Varianten der Dogenstadt zusammenzustellen.

62. *London, Northumberland House*, 1752.
Öl auf Leinwand, 84 x 137 cm.
Privatsammlung.

63. *Warwick Castle, Südfassade*
(Ansicht aus der Ferne), 1745.
Öl auf Leinwand, 42 x 71 cm.
Privatsammlung.

63. *Warwick Castle, Südfassade*
   (Ansicht aus der Ferne), 1745.
   Öl auf Leinwand, 42 x 71 cm.
   Privatsammlung.

64. *Warwick Castle, Südfassade*, 1748.
Öl auf Leinwand, 75 x 120,5 cm.
Museo Thyssen-Bornemisza,
Madrid.

Es gefiel ihm, eigenartig erfundene Bilder aus plätschernden Gewässern, märchenhaften Horizonten und unwirklichen, großartigen Architekturen zu komponieren, in denen extravagante, aus frei erfundenen Bühnenbildern entliehene Paläste sich in großzügigen Perspektiven ausdehnten. Diese Landschaften waren mit jener freien Fantasie entworfen worden, mit der Canaletto sechzig Jahre zuvor Städte auf die Bühnen der Theater *San Salvador* oder *San Moise* gezaubert hatte, die sicher kein Reisender je zuvor gesehen hat. Bei solchen Arbeiten, die wie ein Spiegel vergangener Zeiten sind, erholte sich der alte Maler von den detailgetreuen Darstellungen Venedigs. Er sah sich wieder, wie er damals voller Leidenschaft und Hoffnung neidisch dem berühmten Luca Carlevaris zusah, wenn dieser aus seiner Gondel auf die Freitreppe der Zenobio stieg, jener adligen Familie, deren Protektion er seinen merkwürdigen Beinamen zu verdanken hatte.

Eines Abends dann, am 20. April 1768, es war noch hell und Venedig hüllte sich in jenes rosafarbene Licht, das Canaletto so oft mit seiner *Camera Obscura* in seine feinen Einzelteile zerlegt hatte, erreichte die Kunde die Piazzetta, das Café Florian, den Lido und das Künstlercafé an der Barettieri-Brücke, in dem der Maler manchmal gesessen hatte: Nie wieder würde man den fleißigen Alten mit dem Bleistift in der Hand in seiner Ateliergondel den schlangenförmigen Kanal auf und ab fahren sehen. Canaletto hatte seine Augen, die die Schönheit seines Idols so glühend verehrt und wiedergegeben hatten, für immer geschlossen. Und mit ihm erlosch ein Teil des zu Ende gehenden Ruhmes der *Repubblica Serenissima*.

In manchem menschlichen Schicksal fügen es die Zufälle der Vorsehung, dass einem Glücklichen ein leichtes Leben vergönnt ist, in dem alle seine Unternehmungen von Erfolg gekrönt werden, und in dem alle vorkommenden Ereignisse vielleicht nicht ein privates Glück bestätigen, was schwer einzuschätzen ist, so aber doch ein konstantes Gelingen, das sogar die Gunst der Nachwelt erringt. Canaletto scheint einer dieser glücklichen Gewinner der Lotterie des Schicksals gewesen zu sein. Von seinem unbestreitbaren Talent abgesehen, hat ihm auch eine Reihe glücklicher Zufälle Ansehen und Bekanntheit verschafft, wodurch er zu dieser relativen Ungezwungenheit, dieser durch das Ansehen seiner Zeitgenossen belohnten Arbeit und zu der verdienten Berühmtheit kam, die heute noch dazu beitragen, seinen Namen und sein Werk unsterblich zu machen.

Canaletto war am Ende des 17. Jahrhunderts geboren, zu einem Zeitpunkt, der äußerst günstig war, um in der neuen Malschule des 18. Jahrhunderts einen hohen Rang in Venedig einzunehmen. Er trug von Geburt an wie durch Zufall den Namen Canal, der bald in Canaletto abgewandelt wurde und so wunderbar zu dem bekanntesten aller Maler der *Calli* und *Canali* dieser glorreichen Stadt passte. Sie war die Perle des bewundernswerten adriatischen Ostens, und es gefiel ihm, sein ganzes Leben lang, und er wurde immerhin einundsiebzig Jahre alt, mit einer gleich bleibenden Gewissenhaftigkeit und mit einem durchgehend glänzenden Talent Porträts seiner Heimatstadt zu malen, *Canaletti*, wie seine Bilder damals genannt wurden. In der Aufzählung dieser einfachen Tatsachen zeigen sich viele merkwürdige Glücksfälle und ein stetes Lächeln der Fortuna.

Das Leben eines solchen Malers, der so in sein Modell verliebt ist, dass er seine Züge, Launen, Ausdrücke, Fassaden, Gesichter und seine durch das es umgebende Licht der Lagune ständig variierenden Formen pausenlos abbildet, konnte ja nur äußerst fruchtbar sein. So groß ist die Zahl

65. Alnwick Castle,
Northumberland, gegen 1752.
Öl auf Leinwand, 113,5 x 139,5 cm.
Alnwick Castle, Alnwick.

66. *Windsor Castle,* 1747.

Öl auf Leinwand, 84 x 137 cm.

Alnwick Castle, Alnwick.

67. *Warwick Castle, Ostfassade*, 1752.
Öl auf Leinwand, 73 x 122 cm.
Birmingham Museums and
Art Gallery, Birmingham.

seiner perspektivischen Porträts der Dogenstadt, dass es kaum eine Bildergalerie im alten Europa oder ein amerikanisches Museum gibt, die nicht ein Exemplar besitzen. Sie sind alle authentisch und im Allgemeinen unbestritten. Was Kopien, Imitationen und Repliken betrifft, die von unbekannten Schülern oder geschickten Fälschern stammen, sie sind im Überfluss vorhanden. Aber die Handschrift des Meisters ist nach wie vor so offensichtlich und bezeichnend und so untrennbar mit seinem Werk verbunden, dass es für wahre Kenner schwierig ist, sich zu täuschen.

Canaletto war ein geduldiger und äußerst sorgfältiger Künstler, der fleißig daran arbeitete, eine ehrliche und gewissenhafte, manchmal fantasiereiche Begabung zu festigen und weiterzuentwickeln. Er hat sich bis zu seiner letzten Stunde niemals Nachlässigkeiten erlaubt, zu denen ihn die beachtliche Publikumsgunst und die täglich wachsende Zahl der Kenner aus ganz Europa, die eines seiner Bilder besitzen wollten, hätten hinreißen können. Er blieb, und auch da muss man ihn bewundern, zurückhaltend bei der Verbreitung seines Talents. Canaletto kompromittierte nie seinen Wert, indem er aus rein kommerziellen Gründen und um zu gefallen minderwertige Farbskizzen für den Verkauf mit groben Pinselstrichen malte. Er wiederholte zwar oft, vielleicht weil es ihm gefiel, bestimmte besonders schöne Motive vom *Canal Grande*; es gibt viele Ansichten von der Kirche *Santa Maria della Salute*, der *Dogana*, der *Piazzetta*, vom *Dogenpalast*, von den *Prokuratien*, dem *Rialto*. Man kann sie aber leicht unterscheiden und versteht, dass er sie von absichtlich unterschiedlich gewählten Blickwinkeln aus erfassen wollte, um eine neue Sichtweise zu bieten. Es wäre bedauerlich, wenn wir sie nicht alle hätten.

Zu jedem Zeitpunkt seines Lebens folgte er mit Vorsicht und Besonnenheit einer wohl überlegten künstlerischen Laufbahn. Er war weder impulsiv noch launenhaft, weder oberflächlich oder schrullenhaft noch unbeständig, sondern aufmerksam und sorgfältig und immer darum bemüht, noch besser zu arbeiten und seine Technik auf der hartnäckigen Suche nach Perfektion zu vervollkommnen. Als Realist, der darauf bestand, die größte Sorgfalt auf seine Bilder zu verwenden, legte er immensen Wert auf Wahrheit, Genauigkeit, Gründlichkeit und Richtigkeit bei der Ausführung seiner naturgetreu gewollten perspektivischen Darstellungen. Mit einer außergewöhnlichen Empfindsamkeit suchte er, das Märchenhafte der Beleuchtung und der atmosphärischen Stimmung wiederzugeben, in der die schönste Stadtlandschaft der Welt täglich oder fast stündlich anders erscheint. Canaletto hatte nicht, wie der stürmische Tiepolo oder der pomphafte Guardia, den Hang dazu, das Gesehene mit stürmischem Schwung zu überhöhen, wie es dem strahlenden Virtuosentum entspricht. Er hatte nicht das Temperament für die Darstellung leidenschaftlicher Bewegung oder für eine überschwängliche Farbgebung. Die architektonische Genauigkeit war für ihn wichtig, sie bestimmte die Art seiner Ausführung und den Einsatz seines Talents, ihr unterstanden der Aufbau der gezeichneten Linien und die überlegte Anordnung der Farben. Voll und ganz zeigt sich seine Persönlichkeit nur in der kunstvollen Darstellung der venezianischen Himmel, die unabhängig von den sich auftürmenden Wolken so angenehm irisieren. Sie zeigt sich auch in der Darstellung des Wassers in den Kanälen, dessen Aussehen er durch ein nur von ihm beherrschtes Verfahren variierte. Inmitten einer Generation, die ihren Launen folgte und nach Unvorhergesehenem gierte, erscheint es fast zwanghaft methodisch, wie er in aller Ruhe, aber ganz und gar nicht langweilig alle Aspekte Venedigs auf die Leinwand bringt.

Dieser beharrliche Fleiß erklärt, warum die Kunsthistoriker so wenig über ihn zu sagen haben. Auch die sorgfältigsten Untersuchungen bringen keine biografischen Einzelheiten zutage und der Mensch selbst bleibt verborgen, es gibt jedoch paradoxerweise nicht viele Künstler, die in so vielen Museen und bedeutenden Sammlungen vertreten sind. Man kann sich in Paris, Sankt Petersburg, in England oder in Deutschland anhand der ebenso bedeutenden wie interessanten Exemplare seiner Werke ohne große Mühe eine Vorstellung von seinem Stil machen. Man könnte auch von Canaletto sagen, was Zanetti über den Maler Vittore Carpaccio (um 1455-1526) geschrieben hat: *„Aveva in cuore la Verità"*. Canaletto trug ganz sicher immer die Wahrheit in seinem Herzen. Seine *Camera Obscura* war quasi ein Spiegel für die entblößte Göttin, die er ohne nachzulassen verehrte, besonders bei der Darstellung ihrer Ansichten, die er mit reiner Leidenschaft für seine Muse malte.

Man muss gleich an Canaletto denken, wenn man liest, was John Ruskin (1819-1900) in seiner Studie über die modernen Maler über die Freude des Sehens schreibt. Er stellt darin fest, dass die Freude an den gesehenen Objekten, die auf eine nicht zufällige Weise so nebeneinander angeordnet sind, dass sie sich gegenseitig erhöhen, nicht nur eine tiefe Zuneigung für das ihr zugrunde liegende Gesehene bestimmt, sondern auch die Intelligenz der Zeichnung und die Anpassung des Gesehenen an unsere Sehnsüchte.

Aus eben dieser Intelligenz entstanden die Freude, die Bewunderung und die Dankbarkeit, die Canaletto bis an sein Lebensende für Venedig empfand, das immer der Gegenstand seiner Zuneigung, seiner Wünsche, seiner Fürsorge und seiner leidenschaftlichen Liebe als Porträtist war.

---

[1] „Die Blumen Venedigs, oder: die venezianischen Bilder, Monumente, Ansichten und Kostüme, dargestellt in zweihundert Drucken der besten Künstler Venedigs."

[2] „Das große Theater der Malereien und Perspektiven Venedigs".

[3] In London befindet sich ein Gemälde Canalettos vom Kolosseum, das wahrscheinlich aus dieser Zeit stammt.

[4] Joseph Smith verbrachte viele Jahre in Venedig in verschiedenen Funktionen, es wäre sicher von Interesse, seinem Leben eine eigene Studie zu widmen. Er spielte eine entscheidende Rolle als Vermittler zwischen den venezianischen Künstlern und den englischen Sammlern. G. Tiepolo, F. Guardi, Pietro Longhi und viele andere verdanken ihm ihren Erfolg im Ausland. Der gewandte und beflissene Kunstkenner verstand sich aufs Geschäftemachen und verlor sein eigenes Interesse nie aus den Augen. Sein Name taucht häufig in Memoiren und anderen Schriften der ersten Hälfte des 18. Jahrhunderts auf und es ist anzunehmen, dass er auch den Feierlichkeiten nicht abgeneigt war.

70. *London, Whitehall und der Privatgarten, vom Richmond House aus gesehen,* 1747. Öl auf Leinwand, 106,7 x 116,8 cm. Privatsammlung.

A R GEORGII II VIII A D MDCCXXXV

Canaletto,
Maler und Radierer

Die Gemälde

Von allen Städten der Welt scheint Venedig diejenige zu sein, die die stärkste verführerische Kraft ausübt, sowohl auf ihre Söhne, die die Mutter lieben, als auch auf die Besucher aus der Ferne. Im Laufe der Zeit wurden ihre Porträtisten immer zahlreicher. Aber niemand brachte so viel Eifer, Talent und Aufmerksamkeit ins Spiel wie Canaletto und sein Neffe Bellotto, die das Antlitz, die Aspekte und die Perspektiven der Stadt in so vielen Gemälden wiedergaben. Die glücklichen und geistvollen Venezianer des Jahrhunderts, in dem Tiepolo und Goldoni lebten, behaupteten, dass sie eine solche Vorliebe für ihre Stadt empfanden, dass sie ihr Leben dort damit verbrachten, „… ihren Augen Trost zu spenden". Man kann diesen besinnlichen Rauschzustand leicht verstehen, diese anhaltende Verzauberung durch das Gesehene, diese wohltuende Berauschung des Blicks, wenn man die schönste je von Menschenhand geschaffene Stadtlandschaft vor Augen hat und der Bewunderung für sie nicht müde werden kann, weil der subtile Charme des Lichts und die atmosphärische Vielfalt ihr Aussehen pausenlos verändern.

Keiner der Reisenden, die von 1700 an bis zur Stunde des unbewussten und heiter überspielten Todeskampfes der Serenissima an ihr Krankenbett eilten, kam auf die Idee, gegen diese intime Liebeserklärung des *Civis Venetus* zu protestieren, empfand er doch schließlich selbst diese Liebe, wenn er Venedig und das schillernde und ungewohnte Schauspiel sah, das es zu jeder Tageszeit bot. Charles de Brosses war Epikureer genug, um sich dem mit allen Sinnen hinzugeben, und er gab zu, dass er die Kais, Brücken, Gassen, Plätze und Kanäle der Stadt durchstreifte, „… um seine Augen zu verwöhnen" mit all dem Glanz und der Vielfalt, die sich seinen Blicken bot, mit all den Aussichten und Perspektiven, die ihn auf seinen Ausflügen zu Fuß oder per Gondel überraschten. Goethe war der Faszination der Stadt vollkommen erlegen, der „Biberrepublik", wie er die Perle der Adria nannte. Er nahm ihren Zauber auf und meinte, dass er ihn für immer in seinen Augen aufbewahren werde und sprach von da an in dichterisch sensiblen Worten von der Freude beim Anblick der Schönheit.

Wie viele andere waren noch entzückt über die strahlenden Fassaden des *Dogenpalastes*, der *Prokuratien*, von *Sankt Markus*, der Marmorpaläste auf dem Canal Grande, von *San Giorgio Maggiore*, der *Giudecca*; über diese außergewöhnliche Verbindung zwischen Land und Meer; über die Kirchen in allen Stilen, die byzantinischen Kuppeln, die orientalischen Mosaike; über die rosafarbenen Fassaden, die in den Wellen der Lagune schimmern; über die immer zahlreicheren Boote und Gondeln an der *Riva degli Schiavoni*, ganz zu schweigen von den zauberhaften und geheimnisvollen, über ihre Zäune wuchernden Gärten, dem jubelnden Volk, den Glockenspielen und Barkarolen, deren Klang sich in die allgemeine Fröhlichkeit mischt.

„Macht, dass die Luft, die den Venezianer auf seinen Gängen umgibt, lacht, dass jede Erscheinung von Schmerz, Elend und Hässlichkeit aus seinem glückseligen Blick entschwindet!" flehte Gasparo Gozzi. Das Gebet scheint für jene erhört worden zu sein, die die Vitalität der Heimat des Karnevals und die Vermählung mit dem Meer an Bord des würdevollen *Bucintoro* miterlebt haben. Von Joseph Addison, der Venedig 1700 besuchte, bis zu Baron Montesquieu, Jean-Jaques Rousseau, dem Abbé d'Itérais, Madame du Boccage, Young, Moratin, Lady Montaigu und Madame Vigée-Lebrun, die alle einmal hier waren, gab es nur Lobreden. Es war ein Überschwang bewundernder Verehrung, ein ununterbrochenes Loblied auf das außergewöhnliche und unvergleichliche Zentrum

71. *London, Westminster Abbey, Prozession der Ritter des Bades,* 1749. Öl auf Leinwand, 99 x 101,5 cm. Westminster Abbey, London. (S. 122)

72. *London, Innenansicht der Kapelle Henry VII., Westminster Abbey,* gegen 1753. Öl auf Holz, 65 x 57,8 cm. Museum of London, London.

der Kunst und Schönheit, das die alte vornehme Dame der Adria darstellt, die Amphibienstadt, die vom Meer und von dem wunderbaren künstlerischen Überfluss lebt, den ihre auf Pfählen gebaute Aktivität hervorbringt.

Aus allen Teilen Italiens und Europas strömten die Maler herbei, um hier frei und glücklich dem Vergnügen, der Anmut und dem Rausch des Anblicks zu leben, um dem Auge die märchenhaften Eindrücke und die harmonische Farbenvielfalt zu gönnen, nach denen es sich sehnt. So mancher weihte ihr bei seinem Besuch ein Loblied der Anerkennung und setzte sein Talent ein, um das Bild dieser Circe, dieser *Marcurigliosa Regina del Mare* symbolisch auf der Leinwand festzuhalten. Aber es waren vor allem die Venezianer, und die Künstler aus Verona, Belluno und Trevise, die sich besser als die *Forestieri* darauf verstanden, die wahren Züge des unvergleichlichen Idols glanzvoll und mit spürbarem Gefühl festzuhalten. Man musste schon selbst ein Kind dieser lieblichen *Isola Madre* sein, um sie ganz zu spüren, um die ganze mütterliche Zärtlichkeit zu empfinden und um die leise Sehnsucht, die ausdrucksvolle manieristische Sprache der Architekturen und all die feinen Nuancen des zitternden Lichts auf den zahllosen marmornen Fassaden zu erraten. Und der Canal Grande hatte so viele verschiedene Gesichter! So viele strahlende Lächeln an der Schwelle der Basilika und am Uhrenturm, der zu den *Mercerie* führt. Welcher Überschwang an Leben, an feinen und glänzenden Farben auf der unvollendeten Fassade von *Santi Giovanni e Paolo*, vor der *Scuola di San Marco* und auf dem großartigsten Reiterdenkmal der Welt, das Verrocchio zum Gedenken des *Condottiere* Bartholomeo Colleoni de Bergame errichtet hat.

Diese glänzenden Visionen, die sich in den Kanälen spiegeln und die manchmal durch das Schwirren des Wassers verzerrt werden, das schillernde Hin und Her der Wellen im Kielwasser der durch das Wasser gleitenden Gondeln, all das verlieh Venedig einen unvergesslichen Ausdruck. Die Meister der Palette bemühten sich, ihn in allen Spektralfarben wiederzugeben, das sich ändernde Erscheinen, die magische Transparenz und die fantastischen Landschaften mit ihrem exklusiven und strahlendem Glanz, den man mit Worten nicht wiedergeben kann, zu zeigen.

Zahllose venezianische Maler und Radierer, leidenschaftliche Gestalter städtischer Landschaften, haben zusätzlich zu Canaletto, Guardi und Tiepolo, versucht, all den ästhetischen Facetten der Dogenstadt Ausdruck zu verleihen, haben sich geschworen, die Tradition von Bellini und Veronese wieder neu zu beleben. Nur wenige erinnern sich heute noch an Domenico und an Giuseppe Valeriani, an Marco Ricci, an Jacopo Marieschi, sogar an Piranesi, der ein so begabter, schöpferischer und überschwänglicher Radierer war, an Zaiz, an Cimaroli, an Carlevaris oder an Antonio Marini. Und doch verdienen sie alle die Hochachtung der Kunstkenner und die Anerkennung einer Elite leidenschaftlicher Kunstliebhaber. Es würde sich sicher lohnen, die Geschichte der Porträtisten der souveränen Lagunenstadt von Vittore Carpaccio an, der das Venedig des 15. Jahrhunderts im Hintergrund seiner Bilder festhielt, und vor allem von dem letzten Vivarini an, zu schreiben. Denn hinsichtlich der Abbildungen des ehemaligen Mittelpunkts des weltweiten Handels ist eine solche Geschichte noch nie vollständig geschrieben worden.

Wie auch immer, der Name, der in den Augen des Publikums und der Nachwelt diese ganze Vergangenheit überragt, der sich im Gedächtnis aller Gebildeten und aller Kunstfreunde durchsetzt, ist ein liebenswerter Beiname, ein vor Leben sprühender und für die Stadt der Kanäle symbolischer Diminutiv. Er klingt im Ohr wie ein Wasserfall und scheint wie ein flacher Kiesel auf der

73. *London, Das Rondell von Ranelagh,* 1754.
Öl auf Leinwand, 47 x 75,6 cm.
National Gallery, London.
(S. 126-127)

74. *Perspektive,* 1765.
Öl auf Leinwand, 131 x 93 cm.
Galleria dell'Accademia, Venedig.

Wasseroberfläche der Lagune abzuprallen, ein hübscher italienischer Spitzname: *Canaletto*, was so viel heißt wie kleiner Kanal oder Söhnchen des Bernardo da Canal.

Canaletto! Kaum ausgesprochen, lässt uns dieser Name an all die malerischen Gesichter der *Venezia la bella* denken, an ihre große Verkehrsader, den *Canalazzo*, an die *Pali* – die Pfähle – die wie Rohrpfeifen aussehen, wie sie da vor den edlen und fürstlichen alten Palästen stehen, fast immer mit den Farben derer Besitzer geschmückt.

Canaletto! Das ist die *Dogana di Mare*, wie sie am Saum der *Giudecca* an der *Punta della Salute* erscheint, das ist die vornehme Parade der bürgerlichen und religiösen Gebäude, in der sich die seltsamsten und verschiedensten architektonischen Stile auf verwirrende Weise mit den Wunderwerken des prunkhaften orientalischen Geschmacks vermengen.

Folgt man den Kanälen, nimmt der gotische Stil zu. Der Ravenner Stil zeigt sich in der Pracht des Gotisch-Byzantinischen, wenn nicht des Spätgotisch-Romanischen. Man sieht die unentwirrbare Zusammensetzung der Giebel, der Gesimse und der verschiedensten Bögen, die aus der verwirrenden Fantasie und dem großartigen schlechten Geschmack eines Baldassare Longhena und einigen seiner Schüler und Nachahmer entstanden sind. Überall erscheinen in diesen nebensächlichen Extravaganzen, wie der Schriftsteller Girolamo Tiraboschi meinte, Metaphern, *Concetti* und sogar ein gewisser Gongorismus. Der Glanz orientalischer Übertreibung liegt auf all den Gesichtern dieser Paläste. Staunend blickt man auf die Züge, die der Meister Canaletto von diesen großartigen, wie Schmuckschatullen gearbeiteten Marmorfiguren festgehalten hat: Die *Cà Doro*, die Paläste Foscari, Balbi, Pisani, Grimani Dandolo, Rezzonico und die *Scuola di San Rocco*. Und wir sehen dieses Ehrfurcht gebietende Kleinod, dieses monumentale Gehäuse, in dem das ganze antike Byzanz, in goldenen Mosaiken kristallisiert, auf wunderbare Weise und mit mystischem und andachtsvollem Glanz Gestalt annimmt. *San Marco*, die größte aller Basiliken, in der die Bewunderung mit der Frömmigkeit einhergeht und vor deren enormer Kraft der Schönheit man auf die Knie fällt, die zu verkünden nicht ausreicht – man muss sie verehren.

Canaletto! Das ist auch das Venedig der kleineren Gemeinden von *San Maria del Orto* und von *San Caterina* in der Nähe der *Fondamenta Nuove*, das ist *San Giorgio Maggiore*, das ist *Mestre*, der *Lido*, die berühmten Inseln in der Lagune und die hübschen Ansichten vom *Canal de la Brenta*. Canaletto hat jeden Winkel seiner Geburtsstadt geliebt. Er hat alle Ansichten seiner Stadt gemalt, die ärmeren und die exzentrischen Viertel, die ruhigen und fast verlassenen Gebiete und auch die großen festlichen Zusammenkünfte, die Zeremonien, bei denen man das Wasser der Kanäle vor lauter Gondeln, Feluken, Peotten, *Bissones* fast nicht sieht; die beflaggten und blumengeschmückten Stege, sogar die Galeeren, deren Ruder in regelmäßigen Rhythmen einen harmonischen Gleichschlag schaffen.

Dieser bewundernswerte Porträtist hat für die Nachwelt die Spielarten des Seins und des Scheins seiner Stadt erhalten, bis hin zu dem leuchtenden und bewegungsreichen Ausdruck der Botschafterempfänge, die im Umkreis des Dogenpalasts, auf der *Riva* und auf der *Piazzetta* die erregten und neugierigen Mengen anzogen, während sich die den empfangenden und empfangenen Persönlichkeiten reservierten luxuriös ausgestatteten Boote im Wasser drängten. Einige seiner Gemälde und seiner so leicht und genial geätzten Radierungen haben die *Ansicht der Regatta auf*

75. *London, St. Pauls-Kathedrale,*
     gegen 1754.
     Öl auf Leinwand, 52,1 x 61,6 cm.
     Yale Center for British Art,
     New Haven.

76. *London, Die Themse und die*
     St. Pauls-Kathedrale am Lord
     Mayor's Day, gegen 1747-1748.
     Öl auf Leinwand, 118,5 x 237,5 cm.
     Sammlung Roudnice Lobkowicz,
     Schloss Nelahozeves,
     Nelahozeves (Tschechien).
     (S. 132-133)

dem Canal Grande und auch und vor allem die prunkvolle *Ausfahrt des Bucintoro*, die am Himmelfahrtstag stattfand, festgehalten. Auf der *Riva degli Schiavoni* fand sich die ganze Bevölkerung ein, berauscht von dem Gedanken und begierig darauf, an der triumphalen Ausfahrt des Flaggschiffes der Serenissima teilzunehmen, an dessen Bord der Doge mit dem *Corno Ducale* auf dem Haupt stand. Seine Begleiter waren alle in Atlas und scharlachroten Samt gekleidet, und zum Klang der Trompeten, der römischen Hörner und der Hochzeitsmärsche brach er auf, um in einer symbolischen Geste den Verlobungsring ins Meer zu werfen.

Mit dem so leicht dahin klingenden Beinamen Canaletto verbinden sich die wichtigsten, verschiedensten und wünschenswertesten Erinnerungen an das Venedig des 18. Jahrhunderts. Diese Anhäufung von Bildern, die er hinterließ, die unsere Kenntnis von der Stadt bereicherte, in der er zur Welt kam, ist so umfassend, dass es bis heute noch nicht gelungen ist, sie alle zu erfassen. Zwar gibt es in allen öffentlichen Sammlungen Exemplare seiner dokumentarischen Ansichten, aber die Tatsache, dass sich viele seiner Werke in Privatsammlungen befinden, macht es schwierig, festzustellen, wie viele Gemälde und Radierungen tatsächlich authentisch sind. Wahrscheinlich wird es nie ein vollständiges Inventar geben, sowenig wie eine analytische, kritische und biografisch bebilderte Monografie, die mehrere großformatige Bände füllen würde.

Canalettos Ziel war es, ein in der Welt einzigartiges Ensemble vor Augen zu führen. Wenn man also von seinen Werken reden will, muss man von Venedig reden, von Venedig zu jeder Stunde des Tages bis hin zu den Geheimnissen ihrer Nacht. Die Stadt mit ihren Gondeln und mit ihren Kanälen, mit der fliehenden Perspektive ihrer edlen Wohnstätten und den malerischen Gassen ihrer ärmeren Viertel, mit ihren Patriziern und mit ihren Fährleuten in der Lagune.

Wenn sie nicht zufällig ein Fest oder eine Feierlichkeit wiedergeben, dann sind Canalettos Gemälde von einer undefinierbaren Melancholie erfüllt, die wie ein Fieber aus dem Wasser zu steigen scheint. Sie vermitteln ein seltsames Gefühl, wie es jeder erfahrene Reisende kennt, wenn er Kirchen, Paläste, ein Durcheinander von Kuppeln, Türmen und Schornsteinen wie ein Trugbild aus den Fluten heraufsteigen sieht. Sie lassen die seltsame Klangfülle einer Stadt erahnen, in der man weder das Geräusch von Wagenrädern noch das Geklapper von Hufen vernimmt, und geben ganz genau die Vorstellung von jenem venezianischen Leben wieder, dass sich in großen Teilen auf dem Wasser abspielt.

Charles de Brosses, der diese Ruhe freudig begrüßte, war es zufrieden, lange ausschlafen zu können, ohne von dem geringsten Lärm gestört zu werden. Die Gondeln glitten lautlos über das Wasser, ihr Schaukeln vermittelte gleichzeitig das Gefühl von Ruhe und das von Geschwindigkeit. Sie boten ein unverletzliches Asyl, in dem man, wenn man wollte, das strikteste Inkognito bewahrte, in dem man sich allein und ohne Aufsicht bewegen konnte. In fast allen Bildern von Canaletto sieht man diese langen Kiele, wie ihre schmale Silhouette sich vom blaugrünen Wasser abhebt, wie sie mit ihrem dunklen Rumpf den Vordergrund ausfüllen oder als Repoussoir dienen.

Die Gassen von Venedig sind schwer zugänglich, mit den dreihundertfünfzig Brücken, die sie miteinander verbinden, bilden sie ein Labyrinth, dessen Wege nur der kleine Mann kennt; zudem sind sie mit flachen Steinen gepflastert, die beim geringsten Regenguss fürchterlich glatt werden,

deshalb halten sich die Gondoliere auf das kleinste Zeichen hin bereit. Brosses glaubte zu Recht, dass es keine Kutsche gab, die so komfortabel und angenehm wie eine Gondel wäre. Der Rat beschrieb sie sehr genau:

„Ein Gefährt, lang und schmal wie ein Hai. Am Bug befindet sich ein Schwanenhals mit sechs eisernen Zähnen. Das ganze Boot ist schwarz bemalt und lackiert, die Sitzplätze sind mit schwarzem Samt gefüttert und mit Kissen aus Maroquin in derselben Farbe belegt. Selbst die größten Herren dürfen sie im kleinsten Detail nicht anders ausstatten, sodass man nie erraten kann, wessen Gondel das nun ist. Da ist man nun wie in seiner Kammer, man liest, schreibt, unterhält sich, macht Besuche in der Stadt. Zwei Männer von erprobter Treue führen das Ruder, einer vorne, einer hinten, und sind verschwiegen, wenn man es will. Ich fürchte", fügt Brosses hinzu, „dass ich in einer Kutsche nie wieder ruhig sitzen kann, nachdem ich das hier erlebt habe. Man hat mir gesagt, dass die Gondeln sich nie stauen wie die Kutschen in Paris, aber das stimmt nicht, vor allem nicht an den engen Stellen und unter den Brücken, aber es dauert nie lange, das Wasser bietet gute Möglichkeiten, wieder weiter zu kommen. Darüber hinaus sind unsere Kutscher hier so geschickt, dass sie – wer weiß, wie sie das tun – dieses lange Gerät im Handumdrehen auf der Stelle drehen können. Diese Gefährte sind schnell, wenn auch nicht so schnell wie die Kutsche eines kleinen Herrn. Strecken Sie jedoch nicht die Nase aus der Gondel. Der Bug einer anderen Gondel würde sie Ihnen wie eine Möhre glatt abschneiden. Es gibt unzählig viele Gondeln und man zählt nicht weniger als sechzigtausend Menschen, die von der Arbeit mit dem Ruder leben, Gondoliere und andere."

Canaletto hat den Anlegesteg vor der *Piazzetta* mit den bis zum Meer hinuntergehenden Marmortreppen gemalt, auch die Bretter, über die die Damen und Herren bequem in die leichten Boote steigen konnten, sowie die Reihe der im Pfahlwerk schaukelnden Gondeln. Diese hat er nicht nur in ihrem schwarzen Kleid dargestellt, sondern auch geschmückt und mit Tüchern in allen Farben behängt. Einmal sieht man den Zug der verzierten Boote, die den *Bucintoro* am Himmelfahrtstag begleiten, und wie die riesige, wie ein Ungeheuer mit goldenen Schuppen aussehende Galeere vor dem Dogenpalast anlegt. Ein anderes Mal ist es der feierliche Empfang des Grafen Gergi, des Botschafters Ludwigs XV. Der Repräsentant des französischen Königs ist gerade an Land gegangen und wendet sich dem Dogenpalast zu. Figuren im Galakostüm drängen sich auf den Kais, und die Pracht der Kostüme wird nur vom Reichtum der Boote übertroffen. Dieses Werk, eines der schönsten und bedeutendsten Canalettos, wurde von der Zarin Katharina erworben und befindet sich im Museum von Sankt Petersburg.

Manchmal sind es auch die Vorbereitungen für ein Fest auf dem Wasser; man blickt von einem provisorischen Gebäude auf die Szenerie, die zwischen den Palästen Foscari und Balbi errichtet ist. Von da erstreckt sich die Sicht bis zum *Rialto* hin über den Canal Grande voller Boote, die Statuen auf dem Bug montiert haben und blendende und eigenwillige Verzierungen tragen. Auf einigen Bildern sieht man auch Boote mit zwei, vier oder sechs Seeleuten oder die *Bissones* mit acht Ruderern, die aufgrund ihrer Länge, ihres schmalen Bugs und ihrer Schnelligkeit auch *Grosso Serpente* genannt werden. Bei Regatten durchzogen sie die Lagune, um die Ordnung zu wahren und den Verkehr zu regeln.

79. *London, Die Westminster-Brücke während der Reparaturarbeiten*, 1754. Öl auf Leinwand, etwa 46 x 75 cm. Privatsammlung.

80. *London, Blick durch einen Bogen der Westminster-Brücke*, 1746-1747. Öl auf Leinwand, 57 x 95 cm. Alnwick Castle, Alnwick. (S. 140-141)

81. *London Bridge*, 1746-1750.

Zeichnung, 30,7 x 53,9 cm.

British Museum, London.

82. *London, Die Westminster-Brücke, vom Norden
aus gesehen am Lord Mayor's Day,* 1747.
Öl auf Leinwand, 95,9 x 127,6 cm.
Yale Center for British Art, New Haven.

Von allen venezianischen Festen war keines mit diesen Gondelrennen zu vergleichen. Die Wahl eines Dogen, das Bekanntwerden eines Sieges, der Besuch eines ausländischen Fürsten, jeder Vorwand war recht, um dieses wirklich wunderbar in Szene gesetzte Ereignis zu organisieren. Die Schönheit des Himmels, der Eifer der Privatleute und der Regierung, die Begeisterung der Menge, die Pracht der Kleidung und der Boote, das alles machte diese Wettkämpfe zu einer Art Olympiade von Venedig. An den Fenstern der Paläste [1] und auf den Balkonen, die mit silber- und golddurchwirkten Teppichen geschmückt waren, drängten sich lachende und ungeduldige Zuschauer; schließlich trug zum Glanz des Festes nicht nur die Gegnerschaft zwischen den Rivalen bei.

Seit uralten Zeiten befehdeten sich in Venedig die beiden Lager der Castellani und der Nicolotti. Die Ersteren stammten ursprünglich aus Castello und umfassten alle Bewohner des rechten Ufers des Canalazzo, zu ihnen gehörten auch der Doge und die Senatoren. Sie bildeten einen Clan mit eher aristokratischer Neigung. Die Nicolotti, anfänglich am linken Ufer um die Kirche *San Nicolo* herum angesiedelt, vertraten das Volk. Sie durften, um ihre Interessen zu vertreten, unter den Gondoliere einen Dogen wählen, der trotz seiner prunkhaften Krönung in der Kirche *San Nicolo* dem Gewerbe der Ruderer treu blieb.

Man kann die beiden Parteien auf Canalettos Bildern erkennen. Die Castellani tragen als Erkennungszeichen einen roten Gürtel oder eine rote Mütze, ihre Gegner erkennt man an der schwarzen oder dunkelblauen Haartracht. Immer wieder standen sie sich bei den Wettkämpfen gegenüber, bei den Kraftproben und bei den Faustkämpfen, die auf den Brücken mitten im Viertel der Nicolotti stattfanden. Die jeweiligen Meister bereiteten sich mit einem speziellen Training, das dazu dienen sollte, die Ehre ihrer Partei hochzuhalten, frühzeitig auf die Wettkämpfe vor. Wenn der Wettkampf bevorstand, erbaten sie den Segen ihrer Eltern, hängten sich eine wertvolle Reliquie von *Sankt Anton* oder *Sankt Markus* um und gingen in die Kirche, am liebsten in *Santa Maria della Salute*. An den Rennen nahmen viertausend Venezianer teil; die Strecke führte sie an der *Piazzetta* und am *Rialto* vorbei, dann den *Canal Grande* entlang bis nach *Cannareggio*, dort wurde gedreht und die Rückfahrt angetreten.

Bei seinen Darstellungen von Venedig konnte Canaletto den *Bucintoro* nicht übergehen. Er hat die ganz mit Gold und Statuen bedeckte Paradegaleasse detailgetreu abgebildet, die auf dem Bug über einer allegorischen Gruppe die Figur der Justitia trug. Die Brücke trug weder Mast noch Segel, sondern bestand aus einem großen, mit bequemen Liegen ausgestatteten Saal, in dem sich auch der Thron des Dogen befand und dessen Decke von Karyatiden getragen wurde. Gegen Mittag des Himmelfahrtstages wurde der *Bucintoro* mit der großen Standarte des Heiligen Markus am Heck von den Werftarbeitern aus dem Hangar, in dem er aufbewahrt wurde, herausgeschleppt. Mit seinen funkelnden Flanken und den Blumengirlanden holte er den Dogen für die Fahrt zum Lido [2] ab. Der Fürst nahm zwischen dem Nuntius und dem französischen Botschafter Platz und man machte sich auf den Weg zur Vermählung mit dem Meer. Zu der Flotte gehörten außer den zahlreichen privaten Booten die Galeeren der Botschafter und die Galeeren der Republik, die von festlich gekleideten Gondolieri gesteuert wurden, die goldbestickte rote Samtröcke und hohe albanische Mützen trugen.

Canaletto hat den Höhepunkt der Zeremonie festgehalten: Der *Bucintoro* hält am Zugang zum offenen, vom Patriarchen gesegneten Meer [3]. In diesem Augenblick wirft der Doge als Symbol seiner Verbindung mit der gefürchteten Verlobten einen goldenen Ring in die Fluten und spricht dabei die

83. *Die Old Walton-Brücke*, 1754.
Öl auf Leinwand, 48,7 x 76,4 cm.
Dulwich Picture Gallery, London.

84. Nach **Canaletto,**
Blick von Somerset Gardens Richtung Westminster-Brücke, 1754.
Stich, 32,7 x 47,1 cm.
Yale Center for British Art, New Haven.
(S. 146-147)

feierlichen Worte: „*Desponsamus te, mare nostrum, in signum veri perpetuique dominii*". Dann wurden Blumen und duftende Kräuter in die Wellen geworfen, um die Braut zu krönen.

Wenn wir nun an Land gehen und uns von Canaletto führen lassen, dann bringt er uns zuerst zur *Piazza*. Sie ist sein Lieblingsort; hier schlägt das Herz von Venedig, in dem sich alle Aktivitäten der Stadt zusammendrängen, hier ist der Mittelpunkt des nationalen, politischen und religiösen Lebens, die Bühne, auf der gewöhnlich die Zerstreuungen für das Volk stattfinden. Während des Karnevals konnte man sich inmitten der improvisierten Bühnen und zwischen den Maskierten kaum bewegen, am Himmelfahrtstag errichtete man für den Markt, der dann stattfand, eine Reihe von Ständen. Zu jeder Tageszeit traf man dort Griechen, Türken und Orientalen; Gaukler und Quacksalber prahlten mit ihren Leistungen, während neben ihnen Mönche im Freien predigten. Händler hatten Stoffe und Essbares unter ihren Zelten ausgebreitet und versuchten, Kunden anzulocken. Juden und Nordafrikaner waren gekommen, um Gewürze und Edelsteine gegen Spitzen, Tücher und Kristalle aus venezianischer Fabrikation zu tauschen.

Canaletto dürfte es noch mit eigenen Augen gesehen haben, wie Perlen gegen kleine Glaswaren getauscht wurden. Es hat ihm gefallen, dieses immer wieder interessante Bild mehrmals neu zu erfassen, und er füllte es mit zahllosen und vielfältigen Figuren. Er fand dort auch ein architektonisches Ensemble von wunderbarer Vielfalt vor, dessen märchenhafter Anblick von den einfarbigen Kupferdrucken nur unzulänglich wiedergegeben wird. Durch ihren Mangel an Symmetrie und die Verwirrung der Stile dürfte diese Piazza den modernen Architekten Beweis genug dafür sein, in welchem Maße ihre absolute Regelmäßigkeit für die Kunst tödlich ist.

Die beiden Seiten werden von den *Alten* und den *Neuen Prokuratien* gebildet, in deren Säulengängen immer Spaziergänger zu finden sind. Unter jedem Bogen eröffneten stets gut gefüllte Cafés und Geschäfte. Es war wirklich ein wunderbarer Anblick, wenn die drei Etagen dieser beiden Gebäude glänzend beleuchtet waren wie am Heiligen Abend. Die Venezianer behaupten, dass in dieser einen Nacht nur für die beiden Paläste mehr Wachs verbrannt wird als in ganz Italien in einem Jahr. An den beiden Enden standen sich die von Jacopo Sansovino (1486-1570) erbaute Kirche *San Geminiano*, die heute nicht mehr steht, und die *San Marco-Basilika* gegenüber, wie man sie schon auf den Gemälden von Vittore Carpaccio (um 1455-1526) sieht: mit seinen Kuppeln und Türmchen scheint das großartige und seltsame riesige Gebilde ein Gemeinschaftswerk byzantinischer Maler und gotischer Goldschmiede zu sein. An den Ecken stehen Statuen aus Porphyr und unzählige kleine bunte Marmorsäulen stützen die Torbögen mit den mosaikverzierten Gewölben; auf den reich verzierten orientalischen Kapitellen tummeln sich die fantastischsten Tiere, Adler, Greife und Widder, die gleichzeitig barbarisch wild und doch prachtvoll aussehen.

Venedigs gesamte Geschichte ist sozusagen in der Markuskirche festgehalten. Von jedem Sieg wurden Beutestücke nach Hause gebracht und der Anteil des Löwen des Evangelisten wurde nie vergessen. Die einen Säulen erinnern an die Eroberung von Konstantinopel oder Athen, Sidon oder von Ephesus, andere, mit Schlangenmuster oder in antikem Rot, stammten angeblich vom Tempel des Salomon. Aus Byzanz kommt auch eine von der *Hagia Sophia* stammende Tür, die *Pala d'Oro*, eine den Hochaltar schmückende Altartafel aus Silberplatten und Email. Ebenfalls byzantinisch sind die vier Pferde aus Bronze oder vielmehr aus antikem Kupfer, die wundervolle Quadriga, die 1205 nach Venedig kam und mehr als einmal auf Canalettos Gemälden erscheint. Tatsächlich wurde er nicht müde,

85. *London, Die Themse vom Richmond House aus gesehen,* 1747.
Öl auf Leinwand, 105 x 117,5 cm.
Goodwood House, Goodwood.

86. *London, Blick vom Somerset Gardens aus
Richtung London Bridge*, gegen 1746-1755.
Feder und braune Tusche, grau laviert auf
geripptem Papier, 23,4 x 73,6 cm.
The Courtauld Gallery, London.

87. *London, Die Themse, von der Terrasse*
   des Somerset House aus gesehen, mit der
   Westminster-Brücke in der Ferne,
   gegen 1750-1751.
   Öl auf Leinwand, 107,9 x 188 cm.
   Royal Collection Trust, London.

88. *London, Die Themse, von der Terrasse
des Somerset House aus gesehen, mit der
Westminster-Brücke in der Ferne,*
gegen 1750-1751.
Öl auf Leinwand, 107,6 x 187,9 cm.
Royal Collection Trust, London.

die *Piazza* zu malen, entweder von einem Punkt neben *San Geminiano* aus, sodass die Markuskirche gegenüber zwischen dem *Campanile* und dem Uhrturm auf dem *Sankt Bassus*-Platz zu sehen ist, oder mit dem Rücken zur Basilika. Aus diesem Blickwinkel zeigt er uns ein Stück vom *Campanile*, die drei Bronzesäulen, die die Standarten der Republik tragen, und im Hintergrund zwischen den beiden *Prokuratien* die Fassade von *San Geminiano*.

Für Canaletto sind die Außenansichten besonders wichtig. Er stellt sich den Betrachter im Freien, auf einer Brücke, am Rande eines Kanals oder in einer Gondel vor – die Schwelle zum Inneren der Gebäude, deren Fassade er zeigt, überschreitet er nie, niemals malt er Innenräume in der Art von Peter Neefs (1577 - nach 1655) oder Giovanni Paolo Pannini. Er scheint die harmonischen und glänzenden Farbtöne seiner Palette für das Licht im Freien zu reservieren. Deshalb erwarten wir auch nicht, von ihm etwas über das geheimnisvolle Allerheiligste zu erfahren, in dem das dunkle Gold und das Rot des geäderten Marmors vorherrschen, in dem vereinzelte Strahlen des Tageslichts Details von Goldwaren als Lichtpunkte in einem undeutlichen Halbdunkel aufleuchten lassen. Allenfalls findet sich unter seinen in Windsor aufbewahrten Zeichnungen eine schnell hingeworfene Skizze des Innenraums der mit Gläubigen gefüllten Markuskirche.

Was man jedoch auf seinen Bildern einmal gesehen hat, vergisst man nicht wieder: Nicht die drei Fahnenstangen aus Bronze mit Leopardis Skulpturen an den Sockeln; nicht den riesigen, dreihundert Fuß hohen Campanile mit den scharf geschnittenen Kanten und der Engelsstatue auf der Spitze, die die souveräne Größe Venedigs weit in die Lagune hinaus zu verkünden scheint; auch nicht Sansovinos Loggietta am Fuße des Riesen, jenes anmutige kleine Gebäude aus Bronze und rosafarbenem Marmor mit den zarten Halbreliefs im reinsten Renaissancestil.

Wenn Canaletto in der Nähe des Markusplatzes verweilte, war sein Lieblingsziel die *Piazzetta*, jenes rechtwinklige Stück zwischen dem großen Platz und der Basilika. Mehr Wunderwerke können auf so engem Platz kaum zusammengetragen werden, der Ort ist zauberhaft. Am Ende sieht man hinter dem Kai mit den Gondeln die bewegliche Oberfläche des Meeres und das Kommen und Gehen der Boote, die nach Venedig hereinfahren oder die über die *Giudecca* oder über den *Canal Grande* auf das adriatische Meer hinausfahren. Charles de Brosses ging mindestens vier Mal täglich dort hin, um „... den Blick zu genießen". Auf dieser *Piazzetta* verbrachten die Adligen einen Teil ihres Tages. Die rechte Seite ist für sie reserviert und bleibt immer frei. Sie besprechen dort nicht die Staatsgeschäfte, wie die Athener, sondern ihre eigenen Geschäfte, schmieden kleine Komplotte und verwickeln sich in Intrigen, die, wie Brosses behauptet, viel von ihrer Zeit in Anspruch nehmen. Bittsteller und Klienten kommen dort hin, um den Patriziern ihre Anliegen vorzutragen und nähern sich ihnen mit demütigem Gruß.

Canaletto hat sich diesen Genuss für die Augen, der sich auch einem für die Dinge der Kunst nicht so sensiblen Reisenden eröffnet, oft gegönnt. Und ebenso oft hat er die *Piazzetta* abgebildet und dabei den Raum zwischen dem Campanile und der Basilika eingefasst, der zwischen den beiden Säulen aus Granit den Blick frei gibt auf die schaukelnden Masten auf dem Meer im Hintergrund, auf die *Punta della Giudecca* und auf die *Isola di San Giorgio* mit ihrer auf Meereshöhe errichteten Kirche und ihrem rosafarbenen Campanile. Mal stellte er mit Blick auf *San Marco* eine der Säulen in den Vordergrund, deren Sockel stets von *Lazzarone* belagert werden; mal betonte er mit dem Blick vom Gefängnis her die Größe des Dogenpalasts. Dann wiederum stellt er Sansovinos *Loggietta* in die

89. *London, Vauxhall Gardens,* gegen 1751.
Öl auf Leinwand, 50 x 75,3 cm.
Privatsammlung.

90. Nach **Canaletto,**
Blick auf London von Norden aus gesehen, Illustration 3 der *Blicke auf London,* 1794.
Farbgravur.
Privatsammlung.
(S. 156-157)

Bildmitte und zeigt die Bibliothek und den Säulengang der Markuskirche vor dem Hintergrund der *Prokuratien* und belebt den Vordergrund mit Gauklern und Händlern. Er ist so wirklichkeitsgetreu, dass man mit geschlossenen Augen die Gefängnisse neben dem Dogenpalast, den langen Bogen der *Riva degli Schiavoni*, die von Sansovino erbaute Bibliothek mit der *Zecca* – dem Palast der Münze – und die Kornspeicher vor sich sieht.

Wer kennt sie nicht, auch wenn er nie den Fuß auf venezianisches Pflaster gesetzt hat, die beiden Granitsäulen, die der Doge Michieli im Jahr 1125 aus Tyrus herbeibringen und aufstellen ließ? Wer kennt nicht die beiden Figuren darauf, den geflügelten Löwen als Sinnbild des Evangelisten, und den heiligen Theodor mit dem Krokodil zu seinen Füßen? Und wer ist nicht mit dem Dogenpalast vertraut, der gleichzeitig Stadtpalast, Justizpalast und Herrscherpalast ist, der seitlich an die *Piazza* und an das Meer grenzt und der durch die Seufzerbrücke mit den Gefängnissen verbunden ist?

Filippo Calendario hat diese eigenartige Konstruktion der Alhambra von Bagdad nachempfunden. Mit ihrer riesigen, auf einfachen Säulen ruhenden Masse, mit ihren massiven Mauern auf zwei durchbrochenen Galerien widerspricht sie allen Gesetzen der Statik. Die Mauer zeigt ein Schachbrettmuster aus weißem und rosafarbenem Marmor; mit ihren Steinen verbindet man alle berühmten und berüchtigten Namen venezianischer Prunkzeiten, und auf diesem großartigen Balkon zeigte der Henker dem Volk das Haupt des 55. Dogen, Marino Faliero (um 1285-1355).

Der Innenhof ist sehr viel weniger beeindruckend; nur die beiden riesigen Statuen von Mars und Neptun rechtfertigen den Namen *Scala dei Giganti*. In den Sälen der Regierung dagegen, zu denen die *Scala d'Oro* führt, bilden die Gemälde von Tizian, Veronese, Pordenone, Tintoretto und Palma Vecchio zusammen mit den Architekturen von Aspetti, Palladio und Sansovino ein Ensemble von unerhörtem Reichtum, in dem sich der Geist des Ortes mit patriotischem Hochgefühl in seiner schönsten Form zeigt.

Dieser Palast, den Canaletto unzählige Male mit den schönsten Rosatönen seiner Palette abgebildet hat, war von Brosses auf empörende Weise herabgewürdigt worden. Er nannte ihn einen „... hässlichen alten Mann, wie man ihn sich nur vorstellt, düster, massig und vom schlimmsten gotischen Geschmack." Vom Dogen meinte er, er sei „... der am schlechtesten untergebrachte aller Staatsgefangenen". Für die Markuskirche hat er auch nicht viel mehr übrig; er sieht in ihr nur „... eine griechisch gewollte Kirche, niedrig, ohne Licht und von schlechtem Geschmack". Das Mosaikpflaster ist seiner Meinung nach „... der schönste Ort der Welt, um mit dem Kreisel zu spielen". Solche Vorurteile hatten die kleinen Herren des 18. Jahrhunderts und mit solcher Frechheit begegneten die Gebildeten der „... schrecklichen Gotik".

Folgen wir Canaletto weiter und wenden uns dem *Canal Grande* zu, der sich wie ein riesiges 'S' zwischen zwei Palastreihen von einem Ende Venedigs zum anderen hinzieht. Schon 1495 rühmte der Diplomat und Geschichtsschreiber Philippe de Commines den *Canal Grande* als „... die schönste Straße der Welt, an der die schönsten Häuser stehen, allesamt große, hohe Häuser aus gutem Stein, die schon seit hundert Jahren stehen. Alle Fassaden sind aus weißem Marmor, der aus dem hundert Meilen entfernten Istrien kommt, viele sind mit Porphyr und Schlangenmustern verziert; im Innern haben sie mindestens zwei Räume mit vergoldeten Böden, teuren Kaminsimsen aus Marmor, vergoldeten Betten, bemalten und vergoldeten Ostevents und sehr schönen Möbeln."

91. *Capriccio, englische Landschaft mit einem Säulengang*, gegen 1754.
Öl auf Leinwand, 134 x 106,4 cm.
National Gallery of Art,
Washington, D.C.

92. *Eton College*, gegen 1754.
Öl auf Leinwand, 61,6 x 107,7 cm.
National Gallery, London.
(S. 160-161)

93. *Der Hafen von Dolo*, 1731.

Radierung, 29,4 x 42,5 cm.

UCL Museums & Collections,

London.

94. *Dolo an der Brenta*, gegen 1732-1735.
Öl auf Leinwand, 80,5 x 96,5 cm.
Staatsgalerie Stuttgart, Stuttgart.

le porte Del Dolo

In der Tat wurden für die prunkhaften Wohnstätten alle die Reichtümer ausgegeben, die früher in Kriege und in den Handel mit fernen Ländern investiert worden waren. Viele der Paläste mit ihren Spitzbogen- oder Kleeblattbogenfenstern und ihren durchbrochenen Balkonen stammen aus dem Mittelalter; einige, wie *Scala d'Oro* und *Loredan*, sind arabisch; die meisten Paläste wie *Bembo, Pisani, Tiepolo* und *Vendrameni* verweisen mit der eindrucksvollen Größe ihrer Architektur auf die Renaissance. Einige Fassaden sind rosafarben oder in bunten Farbtönen gehalten, die mit der Zeit harmonisch wurden.

Canaletto hat in einer Reihe von vierzehn Bildern, die der Konsul Smith [4] erworben hatte, alle Aspekte des *Canal Grande* dargestellt, der damals nichts von seinem Glanz und von seiner Lebhaftigkeit verloren hatte. Zwischen *Rialto* und *Dogenpalast* zeigt er den *Palazzo Foscari*, die *Chiesa della Carita* und *Santa Maria della Salute* neben der *Dogana* an der Mündung des *Canal Grande*. Mit der letztgenannten Kirche, einem der meistgeschätzten Heiligtümer der Venezianer, hielt er sich lange auf. Die moderne Kirche war von Baldassare Longhena (1598-1682) aufgrund eines Gelübdes des venezianischen Senats erbaut worden, mit dem von der heiligen Maria das Ende der Pest erwirkt werden sollte. Der Grundstein war vom Dogen Nicola Contarini und dem Patriarchen Giovanni Tiepolo am 25. März 1631 gelegt worden. Die kraftvollen Kompositionen von Tizian und Tintoretto [5] im Inneren unterstreichen aufs Neue die Fadheit der Malereien von Luca Giordano (1632-1705); im äußeren Aufbau schien die Architektur dieses Doms, die einer aus dem Wasser auftauchenden Korallenbank ähnelt, erfunden worden zu sein, um die Puristen zur Verzweiflung zu bringen. Canaletto hatte sie jedoch offenbar gefallen, denn er bildete sie mit ihren zahlreichen Vorsprüngen, in denen sich das Licht fing und mit den an Statuen reichen Giebeln nicht nur mehrmals ab, sondern er wies auch in Radierungen mit brillanten Improvisationen auf sie hin, in denen er, ganz seiner Fantasie überlassen, frei erdachte Monumente zusammenstellte.

In den Museen von München und Grenoble sowie im *Louvre* finden sich Abbildungen dieses Gebäudes aus verschiedenen Blickwinkeln. Das Bild in Grenoble zeigt eine Ansicht von der Stelle aus, an der der *Canal Grande* ins Meer mündet. Eine große Gewitterwolke hängt über der *Dogana del Mare* und über *Santa Maria*, spiegelt sich im Wasser wider und trägt so zu der sehr gelungenen Wirkung des Ensembles bei.

Die Sicherheit des Pinselstrichs und die Genauigkeit der Farbgebung zeichnen im gleichen Maße das Gemälde im *Louvre* aus. Die kleinsten Details der Kuppel auf der einen Seite sind, von einer gewissen Schroffheit vielleicht abgesehen, äußerst exakt behandelt. Die Gebäude der *Riva dei Schiavoni* sind in ein sanftes Licht getaucht und verkleinern sich zum Horizont hin; im Himmel verliert sich etwas weißer Dampf, und Rauch steigt auf; im Vordergrund liegt ein großes Boot mit der Flagge von Venedig; ein paar andere, mit Waren beladene Boote fahren die Strömung hinauf. Im hellen Sonnenlicht und in den durchsichtigen Schattenzonen auf dem Pflaster sind zahlreiche Figuren verteilt, die das Bild mit ihren regen Silhouetten beleben. Es sind Lastenträger, Spaziergänger, auf den Stufen sitzende Bettler, die eine Gruppe von Adligen um Almosen angehen; in einer Ecke helfen zwei Gondoliere einem Ungeschickten, der in den Kanal gefallen ist. Die Figuren sind jedoch im Nachhinein hinzugefügt worden, vielleicht von Tiepolo, dessen möglicher Mitarbeit an Canalettos Werken man wahrscheinlich zu sicher war. Kurz, Canaletto zeigt sich als reizvoller Kolorist, als ein gewissenhafter Architekturmaler, dem die Gesetze der Linearperspektive und der Luftperspektive geläufig sind. Sein Radierungen weisen nun auf einen neuen Aspekt hin – dass er Nadel und Pinsel mit der gleichen Ungezwungenheit zu handhaben versteht.

95. *Der Hafen von Dolo*, 1731.
Radierung, 32,3 x 48,5 cm.
UCL Museums & Collections,
London.

96. *Padua*, Datum unbekannt.
Öl auf Leinwand.
Privatsammlung.
(S. 166-167)

Zurück zum *Canal Grande*, zur *Rialtobrücke*, dieser kühnen Verbindung zwischen den beiden Ufern, die, wie man lange Zeit annahm, nach einer Zeichnung von Michelangelo (1475-1564), tatsächlich aber von Antonio da Ponte (1512-1595) gebaut wurde. Canaletto hat diesen einzigartigen Bogen vom Osten und vom Westen her abgebildet, mit den Booten davor und mit den benachbarten öffentlichen Gebäuden, den Gerichten und Gefängnissen, dem Kräutermarkt [6], mit den Geschäften und Lagerhallen der Deutschen und der Türken. Man sieht den *Palazzo Grimani*, den *Canal Reale* und *San Geremia*, *San Simone Piccolo* und die *Kirche der Barfüßigen Karmeliter*, dort ist auch die Mündung des *Canal Grande* neben *Santa Clara*. Geht man ein Stück zurück, sieht man die Darstellung einer Seeschlacht unter den Fenstern des *Palazzo Balbi*; zu den neuen Ensembles gehören die Paläste *Bembo*, *Grimani* und *Vendrameni* und die Ansichten, die sich zwischen *Sant' Eustachio* und dem Aufstieg zur *Rialtobrücke*, zwischen dem prachtvollen *Palazzo Pisani* und *San Geremia*, und zwischen den Palästen *Grimani* und *Foscari* bieten.

Dann sind da noch die venezianischen Kirchen, auf deren Vorplätzen in der Regel Brunnen stehen: *Santa Maria Formosa*, in der die *Heilige Barbara* von Palma il Vecchio (um 1480-1528) aufbewahrt wird; die *Piazza Santi Giovanni e Paolo* mit der den beiden Aposteln geweihten Kirche voller berühmter Grabmäler und mit der *Scuola di San Marco*. Gleich daneben steht die Statue des heldenhaften Colleoni, der sich auf seinem Pferd mit drohender und befehlender Geste aufzurichten scheint. In einem ärmeren Viertel am anderen Ende der Stadt befinden sich *San Nicolo*, der *Campo San Paolo* und die *Scuola San Teodoro*, der *Campo dei Gesuiti* und der *Campo dei Apostoli*. Manchmal hat der Maler an den Rand einer Brücke Korbflechter platziert, ein bei diesem Volk von Seeleuten wichtiges Handwerk. Auf den Plätzen vor *Santi Giovanni e Paolo* oder vor der *Scuola dei Gesuiti* finden Ballspiele oder Bocciapartien statt, die oft nicht ungefährlich sind. Canaletto lässt kein Detail aus, auch nicht die raren Pflanzen, die an manchen Fenstern dieser ganz und gar steinernen Stadt blühen, auch nicht die grünen Flecken, die so manche Terrasse verzieren.

Im Norden von Venedig befindet sich dem *Castello* gegenüber das *Arsenal*, dessen beide Eingänge Canaletto abgebildet hat. Der eine ist ein riesiges, von einem von Francesco Morosini (1618-1694) im Jahr 1687 aus Athen mitgebrachten Marmorlöwen bewachtes Tor; der zweite ist die Fahrrinne, die von den Schiffen benutzt wird und die man zu Fuß über eine Drehbrücke überqueren kann. In Umfang und Ausdehnung entspricht das *Arsenal* ganz der hohen Vorstellung, die man sich von der venezianischen Marine macht. Hier wurden außer den Kriegsschiffen auch der *Bucintoro*, die *Peotten* und die goldenen Galeeren der Republik untergebracht. Hier konnten achtzehn große Kriegsschiffe konstruiert und mit an Ort und Stelle gegossenen Kanonen bestückt werden. Diese Demonstration der Stärke verlor nach und nach ihren Sinn; im 18. Jahrhundert herrschte auf dem ganzen Gelände eine ziemliche Unordnung und die dreitausend Arbeiter, die dort noch in Lohn standen, überließen sich einem natürlichen Hang zur Trägheit und arbeiteten herzlich wenig.

Die klaren italienischen Nächte sind oft gepriesen worden, Nächte, die so hell sind, dass die Farben erhalten bleiben, während die Konturen verschwimmen. Wie auch Kairo verdient Venedig den Beinamen Königin des Abends. Unter dem sternenschimmernden Himmel plätschert das Wasser endlos vor sich hin und das zwischen den Wolken hindurchscheinende Mondlicht versieht die Wellenkämme mit silbernem Glitzern. Auf diesem von unbestimmten Formen umgebenen Zauberspiegel gleiten die Gondeln lautlos dahin, man könnte sie für Wiegen oder Särge halten,

97. *Gutshof in der Umgebung von Padua*,
gegen 1740-1745.
Feder und Tusche, grau laviert,
31,4 x 39,9 cm.
Royal Collection Trust, London.

98. *Ersonnener Blick auf Padua*,
gegen 1741-1744.
Radierung, 27,9 x 42,9 cm.
Museum of Fine Arts, Houston.
(S. 170-171)

die auf einem unbekannten Fluss dahintreiben, der zur Ewigkeit führt. Im klaren Mondlicht nehmen die Architekturen, die schon bei Tag so interessant sind, ein märchenhaftes Aussehen an; ganz und gar verzaubert ist man, wenn der Wind das ferne Echo eines singenden Gondoliere durch die allgemeine Stille trägt. An manchen Abenden will Venedig jedoch nicht einschlafen, weil das Volk eine ganze Reihe der Feste gibt, für die es berühmt ist; oft lauscht es den harmonischen Orchestern, die zwischen den Marmorpalästen ganz besonders klingen; manchmal begeht es auch bis tief in die Nacht hinein ein religiöses Fest.

An Weihnachten unternahmen der Doge und der Senat in den vergoldeten, am Heck eine Fackel tragenden Gondeln der Republik eine nächtliche Pilgerfahrt zur strahlend erleuchteten Kirche *San Giorgio Maggiore*. Eine Brücke aus Booten verband Venedig mit der *Giudecca*, damit sich das Volk zahlreich an der Erlöserkirche einfinden konnte. In einem seiner Bilder hat Canaletto diese herbeigeströmte Menge festgehalten. Ebenso hat er die Erinnerung an die Vigilie von *Santa Marta* verewigt und das klare Licht des Vollmonds, bei dem die Boote keine Laternen brauchen. Nur am Ufer stehen in der Menge der Zuschauer [7] ein paar hell erleuchtete Zelte. Außer diesen Ansichten von Venedig, deren Aufzählung, auch wenn sie nur das Wichtigste enthält, unvermeidbar zu einer gewissen Monotonie führt, umfasst Canalettos Werk auch eine Reihe von nicht minder interessanten Fantasiebildern.

Die Unterwerfung unter die Disziplin hat diesen geduldigen Beobachter in seinen erfinderischen Fähigkeiten zwar nie eingeschränkt, aber seine Fantasiewerke haben auch nicht den grandiosen und feierlichen Charakter der Bilder von Giovanni Battista Piranesi. Wie Luigi Lanzi meint, bieten sie eine gekonnte, so geschickt vermengte Mischung aus Antikem und Modernem, aus Erdachtem und Wirklichem, dass „… die meisten Betrachter die Natur da zu erkennen glauben, wo der Kenner die Kunst erblickt."

Hatte Canaletto diesen Hang zur Zusammenstellung nicht aus seiner frühen Ausbildung mitgebracht, als er mit seinem Vater zusammen Bühnenbilder malte? Mehr noch, empfand er nicht bei den Beispielen dieses nachgestellten Genres gewisse Erinnerungen an seinen alten Beruf? Man denke an bestimmte Bilder, wirklich interessante Werke, in denen er die *Rialtobrücke* durch einen Entwurf von Palladio ersetzte und diesen mit der Kathedrale von Vicenza und dem *Palazzo Chericato*, beides Werke desselben Architekten, zusammen darstellte. Zanotti ist voll des Lobes für ein großes Bild, das für die *Akademie der Schönen Künste* gemalt wurde. Der Künstler zeigt darauf eine Halle im toskanischen Stil mit mehreren Figuren, die sich zu einem Garten hin öffnet. Ähnlich sind auch die für den Grafen Franz Algarotti ausgeführten Bilder, einem der gebildetsten Köpfe von Venedig, der sein ganzes Leben lang seine Leidenschaft für die Naturwissenschaften mit seiner Liebe zu den schönen Künsten und zur Dichtung in Einklang zu bringen wusste, und der in Canaletto einen Freund sah, den er bewunderte.

Aus allen Werken des Malers, ob sie nun bekannte Orte abbilden oder Monumente, die seiner Fantasie allein entspringen, geht hervor, dass er die Theorie seiner Kunst ebenso beherrschte wie die Praxis. Und es sei daran erinnert, dass er, um eine noch bessere Genauigkeit zu erreichen und um die Vorbereitungsarbeiten zu verkürzen, eine *Camera Obscura* benutzte. Ihm gebührt der Verdienst,

99. *Porta Portello, Padua,*
gegen 1741-1742.
Öl auf Leinwand, 62 x 109 cm.
National Gallery of Art,
Washington, D.C.

100. *Capriccio mit Motiven aus Padua,*
gegen 1756.
Öl auf Leinwand, 115,5 x 164,5 cm.
Hamburger Kunsthalle, Hamburg.
(S. 174-175)

deren Gebrauch verbreitet zu haben, wenn er sie auch nur diskret einsetzte und die mathematischen Daten mit Verstand auslegte. Solche erworbenen Fähigkeiten sind nicht ausschlaggebend, da sie oft mehr Fleiß als natürliche Begabung voraussetzen. Er mag solch rein handwerklichem Geschick große Bedeutung beigemessen haben, entscheidend ist jedoch die hohe Qualität seiner Gemälde und seiner Farbgebung, die eine manchmal ermüdende Symmetrie der architektonischen Ansichten wieder wettmacht.

Wie überlegen Canaletto wirklich war, erkennt man, wenn man ihn mit holländischen Malern wie Gaspar van Wittel (um 1653-1736) oder Job Berkeyden (1628-1698) vergleicht. Es liegen Welten zwischen seiner ansprechenden Klarheit und der übertrieben sorgfältigen Genauigkeit der beiden anderen, zwischen den meisterlichen Darstellungen des Venezianers und den allzu getreuen Kopien der bis zur Unterwürfigkeit gewissenhaften Holländer.

Ein begabter Radierer

In den zahlreichen Zeichnungen und Radierungen erscheint Canalettos künstlerische Persönlichkeit ebenso vorteilhaft wie in seinen Gemälden. Die *Sammlung Albertina* in Wien und die Sammlungen in Windsor und in Chantilly sind besonders reich bestückt mit den Zeichnungen des Meisters, und drei davon waren bei der Ausstellung der Zeichnungen Alter Meister 1879 an der *Ecole des Beaux-Arts* zu sehen. Viele der Zeichnungen, mal mit einem angenehmen Pinselstrich und in äußerst zarten Tönen laviert, mal mit einer geistreichen und einer Graviernadel vergleichbaren, kraftvollen Feder gezogen, sind so interessant wie vollendete Gemälde. Manche tragen Anmerkungen von der Hand des Künstlers, so notierte er auf dem oberen Rand eines Bogens, auf dem der durch einen Blitzschlag ernsthaft beschädigte *Campanile* von Sankt Markus zu erkennen ist, dass dieses Unglück „... am heutigen 23. April 1745, dem Tag des Heiligen Ritters Georg" geschehen war.

Nachdem in der venezianischen Schule unter dem segensreichen Einfluss von Giovanni Bellini (um 1430-1516), Andrea Mantegna (um 1431-1506) und Tizian (um 1477 oder 1490-1576) zahlreiche Kupfer- und Holzschnitte von besonderer Schönheit entstanden waren, verfiel diese Kunst, ganz wie die Malerei, in eine gewisse Dekadenz. So sieht man fast ein Jahrhundert lang keine würdigen Nachfolger für Girolamo Mocetto (um 1470-1531), für die Brüder Girolamo und Giulio Campagnola oder Nicoló Boldrini.

Somit hat Canaletto keinen unmittelbaren Vorgänger. Sein Verdienst ist nicht von der Hand zu weisen, vor allem seine Urteilsfähigkeit bei der Auswahl der Technik. Der Grabstichel bietet schlichtere Möglichkeiten und verlangt ein langsames und methodisches Vorgehen, deshalb eignet er sich für sorgfältig überlegte Kompositionen und als natürlicher Gehilfe für bedeutende Kunstwerke. Die Radierung entspricht mehr einer eiligen und fiebrigen Hand, die einen Eindruck festhalten oder die Arbeit eines Malers auf Kupfer übertragen will. Sie lässt sich leicht erlernen und führt je nach Temperament zu den verschiedensten Resultaten. Sie entsprach genau jeweils den magischen Vorstellungen Rembrandts, den vornehmen Kompositionen Claude Lorrains und den düsteren Inszenierungen von Piranesi.

101. *Ein Pavillon in einem Garten,*
in der Ferne die Lagune,
gegen 1740-1760.
Feder und Tusche, graublau laviert,
20,5 x 29,2 cm.
Royal Collection Trust, London.

177

Die Radierung behielt jedoch besonders in Italien den Charakter des Improvisierten, was ein durchaus angenehmer Zug ist. Dieser Charakter zeichnet ebenso die in ihrer stolzen und manierierten Anmut so eleganten Figuren des Parmigianino (1503-1540) aus wie die Drucke von Tiepolo und Canaletto. Der Letztere erscheint unter den Radierern mit einer ganz eigenen Ausdrucksweise und verdient es, in einem eigenen Kapitel genannt zu werden. Das wichtigste Sammelwerk von ihm besteht aus zwölf Radierungen. Sie ist dem Konsul Smith „… als Zeichen der Wertschätzung und Ehrerbietung" gewidmet. Vier dieser Radierungen sind reine Fantasie, der Rest zeigt nach der Natur abgebildete Orte zwischen Padua und Verona. Ihr Urheber hat sie selbst genannt: diese malerischen Stellen sind Dolo, Valle, Mestre, Santa Giustinia di Padova mit dem Prato delle Valle und der Turm von Malgherra. Von den kleineren Arbeiten seien zwölf kleine Drucke erwähnt, die die Stadt Venedig von ihren malerischsten Seiten zeigen. Man sieht den *Broglio* von allen Seiten mit seinen Spaziergängern, den frei stehenden Buden, dem vergnüglichen Anblick der Händler und Käufer und mit der *Piera del Bando*, dem Sockel, von dem aus der öffentliche Ausrufer mit lauter Stimme die Dekrete der Regierung vortrug.

Einer der auffallendsten Züge dieser Radierungen ist die zurückhaltende Arbeitsweise. Canaletto hat keine tieferen Schnitte nachgezogen, ein vereinfachendes Vorgehen, zu dem Leute vom Fach sicher nicht raten würden, das aber in diesem Fall eine höchst vorteilhafte Wirkung zeigt. Wenn man nicht absichtlich geheimnisvoll sein oder auffallende Helldunkeleffekte in der Art von Rembrandt erreichen will, muss man darauf achten, nicht zu viele Schnitte zu ziehen, um die sich auf dem Papier zeigenden Schattierungen nicht zu beeinträchtigen. Aber Canaletto beherrscht nicht nur die hellen Stellen, sondern er schafft auch in den Schattenzonen feine Abstufungen von Silbergrau, die mit ihrem Schillern das Auge erfreuen. In seinen Radierungen ergießt sich ein helles Licht und in der Beherrschung der Wirkung erkennt man den Koloristen. Wenn er ein tieferes Schwarz für den Vordergrund erzielen will, begnügt er sich mit einer Nachätzung der Kupferplatte. An seiner Art und Weise, den Boden und die Blätter zu behandeln, erkennt man, dass er Campagnolas Drucke kannte und dass er die von Tizian und Giorgione mit der Feder gezeichneten Landschaften aufmerksam betrachtet hat. So ist leicht feststellbar, von wem er als Radierer gelernt hat, und jene nachgestellten, auf den ersten Blick nicht so bedeutend scheinenden Meister haben sehr wohl glorreiche Vorfahren gehabt.

Pierre-Jean Mariette (1603-1657) hat sehr streng über Canaletto geurteilt, als er ihm vorwarf, dass „… sein Auftragen zu gleichmäßig und nicht zart genug" sei. Niemand hat durch die gewollte Unregelmäßigkeit in seinen Arbeiten die Altersrisse in den Mauern besser gezeigt, niemand hat die Architektur besser dargestellt, oder auf eine intelligentere Weise – nur mit einem einfachen Zittern der Nadel – die Durchsichtigkeit des Wassers ausgedrückt, dessen Oberfläche in ständiger Bewegung auf verwirrende Weise die Umgebung widerspiegelt. Dennoch ist Mariettes Kritik nicht ganz ungerechtfertigt, wenn man sie auf die Figuren anwendet, die mit übertrieben genauen Schnitten gearbeitet sind. Diese Radierungen sind, wie die von Jaques Callot und von Stefano della Bella (1610-1664), höchst aufschlussreich, und wenn Canalettos Hand zeitweise nicht so leicht und so lebhaft wie die ihre war, so ist sein Blick nicht weniger scharf. Die kleinsten Einzelheiten geben ihre Epoche ganz präzise wieder, von den Kutschen, die aus dem Reiche Liliput zu stammen scheinen, bis zu den typischen Figuren in ihrer Winzigkeit. Eine solche Wiederbelebung der Aktualität würde man in vergleichbaren Werken vergebens suchen, in den zwanzig durchaus angenehmen Landschaftsradierungen von Marco Ricci zum Beispiel, die kurz vor Canalettos Sammlung erschienen waren.

102. *Der Canal Grande,*
Richtung Nord-Osten,
vom Palazzo Corner-Spinelli
bis zur Rialtobrücke, 1724.
Öl auf Leinwand, 146 x 234 cm.
Gemäldegalerie Alte Meister,
Staatliche Kunstsammlungen
Dresden, Dresden.

103. *Venedig, Der Canal Grande,* 1722-1723.
Öl auf Leinwand, 65,5 x 97,5 cm.
Gemäldegalerie Alte Meister,
Staatliche Kunstsammlungen
Dresden, Dresden.

104. *Venedig, Rio dei Mendicanti und*
Scuola di San Marco.
Öl auf Leinwand, 39 x 69 cm.
Galleria dell'Accademia, Venedig.

Hier bietet sich die Gelegenheit, ein lange Zeit bestrittenes Verdienst für den Künstler in Anspruch zu nehmen. Im Vertrauen auf einen ersten Zeugen wurde immer wieder angenommen, dass Tiepolo die Figuren auf Antonios Gemälde malte. Ohne die Richtigkeit dieser Behauptung bezweifeln zu wollen, so sollte sie doch in ihrer Tragweite eingeschränkt werden. Selbst eine nur oberflächliche Untersuchung seiner Radierungen beweist, wie wenig er auf eine Mitarbeit angewiesen war, auf die bestimmte Landschaftsmaler nicht verzichten konnten. Wer diese kleinen Silhouetten auf dem Kupfer skizzierte, konnte sie ohne Zweifel mit der gleichen Leichtigkeit auf eine Leinwand auftragen, und der Künstler besaß genug eigenen Einfallsreichtum, um nicht auf Anleihen bei anderen angewiesen zu sein.

Mehr noch, er verstand es, in diesen fingernagelgroßen Figuren alle Klassen der Gesellschaft zu zeigen. Hier sind es Gondoliere, oder vielleicht *Lazzarone*, diese malerischen, seltsamen Kerle, die den ganzen Tag umherschlendern, deren einzige Beschäftigung es ist, ein Boot zu führen oder zu betteln, und deren abgetragene Lumpen allmählich die Farbe der Mauern annahmen, auf die sie ihr Haupt betteten. Hier sieht man Frauen, die wie die Madonnen von Bellini in die schönen Falten ihrer Mäntel eingehüllt sind, oder vornehme Spaziergängerinnen, die sich, ohne die gleichgültige Miene oder die stolze Haltung der Römerinnen zu zeigen, mit eleganten Kavalieren unterhalten und dabei mit ihrem Fächer spielen. Man erkennt vor allem die adligen Venezianer mit ihrer hohen und langen Perücke, die über ihrem Gewand aus schwarzem Taft eine Art ebenfalls schwarzer Soutane tragen, die weniger Falten wirft als die Toga der französischen Richter.

Die höchsten Würdenträger sind in Rot oder Violett gekleidet; sie tragen auf der Schulter eine Elle Tuch, eine Art zur Tracht passende Stola. Der Form halber halten sie ein schwarzes Barett in der Hand. Der Ärmel ist ein Unterscheidungsmerkmal, an seiner Weite lässt sich die Bedeutung des Trägers ablesen. Man sieht bei Canaletto auch viele Personen im Mantel: Das ist eine weniger vornehme Tracht als die Robe und gehörte sich für jeden Bürger, der über den Handwerkern steht. Darunter kann man tragen was man will, viele gehen deshalb in Pantoffeln und im Morgenrock aus. Der Mantel dient dem *Inkognito* der Adligen, sie gehen in diesem Aufzug auch zu abendlichen Veranstaltungen, schließlich müssen sie sich mit Anstand kleiden, wenn sie ihre Quadrille tanzen. „Ich habe", berichtet Brosses, „den guten alten Dogen Pisani in dieser Kleidung auf der Freitreppe vor einem Casino gesehen, er sah ganz wie ein junger Kerl aus."

Solch freundliche Dinge kann man aus diesen einfachen Zeichnungen von Canaletto mit etwas Neugier erfahren. Er selbst hat sicher nie damit gerechnet, dass mit seinen Bildern und Radierungen ein derartiges Interesse verbunden bleiben würde, denn man könnte ihn wirklich nicht als einen Humoristen bezeichnen und noch weniger als einen Träumer. Er zeigte noch nicht einmal eine Vorliebe für diese zauberhaften Stunden der Besinnung und der Ruhe, wenn die rosafarbenen und weißen Formen der Paläste vage im Nebel der abendlichen und morgendlichen Dämmerung zerfließen. Und doch liegt genau darin die magische Kraft Venedigs, die man Canalettos Bildern zuschreiben möchte, in der Poesie, die von dem Ensemble ausgeht, und in der Poesie, die unsere eigenen Erinnerungen dazu beitragen. Die Stadt selbst ähnelte übrigens nie einer literarischen Stadt wie Florenz, und die Venezianer, selbst die bedeutendsten, waren keine Intellektuellen, die sich damit herumquälten, das schmerzhafte Missverhältnis zwischen ihrer Sehnsucht und ihren Ausdrucksmöglichkeiten auszuloten. Sie kannten nicht, wie so manche Denker anderer Völker, Verfeinerungen ohne Ende und die immer wiederkehrende Anstrengung, die Grenzen der Kunst zurückzudrängen.

105. *Venedig, Der Canal Grande Richtung Nord-Osten, vom Palazzo Balbi bis zur Rialtobrücke*, 1720-1723. Öl auf Leinwand, 144 x 207 cm. Ca'Rezzonico, Venedig.

106. *Venedig, von der Punta della Motta
aus gesehen*, gegen 1740.
Feder und Tusche, grau laviert,
15,7 x 34,6 cm.
Royal Collection Trust, London.

107. *Castello, von der Punta di Sant'
Antonio aus gesehen*, gegen 1740.
Feder und Tusche, grau laviert,
15,6 x 34,5 cm.
Royal Collection Trust, London.

Dementsprechend ergeben sich bei Canaletto die wesentlichen Qualitäten aus Instinkt und Praxis. Sein Sehvermögen war äußerst sensibel, seine Augen haben sich sozusagen mit Licht gefüllt und niemand hat die klare Atmosphäre Venedigs besser dargestellt. Seine Bilder in den Museen gleichen Fenstern, durch die man auf eine privilegierte Natur blickt, und lassen die Bilder daneben dunkler aussehen. Er setzt die Silhouetten der Gebäude klar vom feinen Azurblau des venezianischen Himmels ab, vermeidet jedoch stets die Schroffheit. Niemand ist naturgetreuer als er, aber wenn er in seiner Genauigkeit auch darauf achtet, nichts zu übergehen, so wird er doch nie zu schwerfällig, ordnet die Details ihrer Wichtigkeit entsprechend einander unter und richtet den Blick auf die richtigen Stellen. Mit nur wenigen absichtlichen Ungenauigkeiten schafft er es, die umgebende Luft spürbar zu machen, die den Konturen ein leichtes Zittern verleiht und die Entfernungen abschwächt. Welche Gegenstände er auch immer abbildet, er verleiht ihnen eine große Wahrscheinlichkeit. Mit fester Hand gibt er die Solidität der Steinmassen wieder, ganz leicht erscheinen die Wolken, die den venezianischen Sonnenschein filtern. Seine Art und Weise, die Durchsichtigkeit des Wassers durch die zahllosen kleinen Wellen, die an der Oberfläche schimmern, zu betonen, haben es den Nachahmern schwer gemacht, besonders denen, die seine Werke radierten.

Der wunderbare Kolorist malt auf wunderbare Weise und mit verführerischem Schwung, trotz allem ist seine Arbeit leicht und einfach. Beim Betrachten seiner Skizzen erkennt man die Qualität seiner Ausführung, unter anderen bei einer Skizze (im Besitz des Museums von Lille), auf der eine steinerne Brücke in hellgelben Tönen abgebildet ist. Er setzt einen Pinselstrich neben den anderen, nimmt ihnen aber durch die Aufeinanderfolge nicht die ursprüngliche Klarheit. Die Durchsichtigkeit der Schatten kommt bei ihm dem lebhaften Licht gleich. Als kenntnisreicher Sinfoniker verfügt er über bezaubernde Goldtöne, man könnte meinen, er hätte das eine oder andere Geheimnis von Tiepolos Palette abgeschaut.

Canaletto gelingt auf Anhieb der richtige Farbton, er trägt ihn ohne zu zögern auf und fügt ihn zusammen mit den daneben liegenden Farbtönen in die Harmonie des Ganzen ein. Und doch kommt er mit nur wenigen Farbtönen aus, um das veränderliche Azurblau des Himmels, das bläuliche Grün des Meerwassers, die tausend Unebenheiten der Fassaden, die Maserungen des Marmors, die Flecken an den Mauern und das Grau des Zerfalls darzustellen. Zeugt nicht allein eine so eingeschränkte Palette davon, dass er zu der ruhmreichen Schule gehört, die er als einer der letzten vertrat? Tatsächlich ist bei den größten Virtuosen das glänzende Resultat nur mit der Einfachheit der Mittel zu vergleichen, und man weiß ja, dass Giorgione und Tizian den Zauber ihrer Farben mit den geringsten Mitteln erzielt haben.

Die Fruchtbarkeit seiner unaufhörlichen Arbeit hat der Beliebtheit Canalettos keinen Abbruch getan. Noch zu seinen Lebzeiten erzielten seine Werke in ganz Europa sehr hohe Preise, was erklärt, warum so viele seines Namens nicht würdige Werke existieren. So finden sich in mehr als einem europäischen Museum neben Bildern, die trotz fehlender Signatur unleugbare Kennzeichen der Authentizität tragen, Malereien von mittelmäßigem Wert. Sie stammen von Schülern, die mehr von dem Wunsch getrieben wurden, sich den Ruf ihres Meisters anzueignen, als sie fähig waren, ihn zu kopieren.

Besonders bei den Radierungen, einer Kunst, die er meisterhaft beherrschte, gelang es ihm, seinen Träumen, mit festem Strich und ohne abzusetzen, Ausdruck zu verleihen. Sie sind mit einer solchen

108. *Venedig, Der Canal Grande, Richtung Nord-Westen, von einer Stelle in der Nähe der Rialtobrücke aus gesehen,* gegen 1726-1727. Öl auf Leinwand, 47,9 x 80 cm. Royal Collection Trust, London.

109. *Venedig, Capriccio, der Canal Grande*
mit einer vorgestellten Rialtobrücke
und anderen Bauwerken.
Öl auf Leinwand, 60 x 82 cm.
Galleria Nazionale, Parma.

110. *Venedig, Capriccio,*
Zeichnung für die Rialtobrücke,
mit Gebäuden aus Vicenza.
Öl auf Leinwand, 60,5 x 82 cm.
Galleria Nazionale, Parma.

Sicherheit ausgeführt, dass man mehr in ihnen erkennen möchte als die Wiedergabe der Natur, nämlich eine reizvolle Fantasie, die seiner Vision als poetischer Künstler entsprang. Canaletto war in erster Linie ein überraschender Meister der Radierung. Wie Piranesi, nur vielleicht nicht so unabhängig, verstand er es, mit dem Kupfer umzugehen, das er nur ganz leicht ritzte und dem er mit seinen kleinen und dünnen Strichen ein feinsinniges Leben verlieh. Da er jedoch gegen seinen Willen der Sklave seines früheren Werks und in die Wahrheit vernarrt war, arrangierte er Landschaften von Städten, in denen Venedig noch vorkam.

Mit Feder, Nadel, Stichel und Tusche improvisierte er ungehindert über ein eigenwilliges Architekturthema mit der gleichen Leichtigkeit, mit der das Johann Sebastian Bach (1685-1750) in Leipzig über die strenge Form einer Fuge tat. Hier stellt er sich als wahrer Zauberkünstler der Radierung heraus. Nachdem die nachlassende italienische Schule des Holz- und Kupferstichs lange Zeit unter dem Einfluss von Mantegna, Bellini und Tizian gestanden hatte, fand sie dank Canaletto zu ihrem Genie zurück. Seine Methode war höchst einfach und beruhte auf derselben Suche nach dem Licht, die auch seine Maltechnik bestimmte. Man kann durchaus sagen, dass es sein Grundsatz war, „… mit sparsamen Mitteln zu arbeiten". Nie ein zweiter Einschnitt, die Bemühung um die Hintergründe bis hin zu den Schatten, eine erkennbare Anlehnung an die Vorgehensweise von Campagnola. Und mit der Art und Weise, das Blattwerk der Bäume fein auszuarbeiten, war auch der große „Zorzi" vertraut, dessen Ruhm in Venedig weiterlebte, das seit 1477 so stolz darauf war, dass der Maler des vom heiligen Markus besänftigten *Gewitters* in ihren Mauern zur Welt gekommen war.

Die Figuren erinnern an Callot, sie haben zwar weniger Schärfe, sind aber doch geschmeidig und wahrheitsgetreu genug, dass man aus heutiger Sicht bezweifeln kann, dass Tiepolos Mitarbeit – bei den Figuren mit Faltenwürfen, bei der Besetzung der zahllosen Inszenierungen auf öffentlichen Plätzen, bei den Empfängen vor dem Dogenpalast, bei den Festlichkeiten für die Vermählung mit dem Meer – für Canaletto unverzichtbar war. Der Mann, der die Silhouetten der Albertina in Wien und der Sammlungen von Windsor und Chantilly zeichnen konnte, war Figurenmaler genug, um manchmal Gefolge und Menschenmengen malen zu können wie die, denen man auf seinen Gemälden begegnet. Trotzdem kam ihm Francesco Guardi (1712-1793) manchmal bei seinen Figuren zur Hilfe, so bei der *Scuola de San Rocco*, die sich in London befindet. „Die hübschen Radierungen von Canaletto", schreibt Charles Blanc (1813-1882) in seiner *Histoire des peintres de toutes les écoles*, „sind voller Licht; es sind großzügige Arbeiten; die weit auseinander liegenden Schnitte lassen das Weiß des Papiers und damit das Licht selbst der Radierungen erscheinen. Es gefällt dem Maler und er versteht sich sehr gut darauf, durch ein leichtes, aber nicht übertriebenes Zittern die Mauern der alten Häuser von Venedig und Padova darzustellen und die gelockerten Ziegel, die da und dort unter dem herabfallenden Putz zu sehen sind. Die Himmel sind mit ganz einfachen Horizontalen gezogen, aber mit einer freien und geschmeidigen Hand, die sich keine kühlen, regelmäßigen Schraffierungen aufzwingt, sondern ab und an aussetzt und eigenwilligen Kurven folgt, die leichte Wolken anzeigen… Canaletto ist ein echtes Vorbild in der Art und Weise, wie er die Architekturen und das plätschernde Wasser radiert. Man weiß, wie schwierig es ist, dieses Plätschern in Radierungen zu zeigen.

111. *Venedig, Rio dei Mendicanti*,
1724-1726.
Öl auf Leinwand, 143 x 200 cm.
Ca'Rezzonico, Venedig.

112. *Venedig, Der Canal Grande,*
die Rialtobrücke von Norden
aus gesehen, gegen 1727.
Öl auf Kupfer, 46 x 58,5 cm.
Goodwood House, Goodwood.

113. *Venedig, Der Canal Grande,*
     nahe der Rialtobrücke, 1725.
     Öl auf Leinwand, 90,5 x 134,6 cm.
     Privatsammlung.

114. *Venedig, Il Redentore,*
     Datum unbekannt.
     Privatsammlung.
     (S. 194-195)

Viele Künstler, besonders Brustolon, haben diese kleinen, übereinanderfallenden Wogen dargestellt, als ob es Münzen wären: Canaletto hat mit geistvoller Nadel das silberne Glänzen wiedergegeben, das sich auf einer leicht gekräuselten Wasseroberfläche zeigt, ohne dieser ihre Transparenz zu nehmen." „Er hat eine Reihe von Radierungen gemacht", meint an anderer Stelle Georges Duplessis, „die seinen Gemälden durchaus ebenbürtig sind. Seine Ansichten von Venedig sind voll lebendiger Klarheit und sanfter Schatten. Man muss Canalettos Radierungen für das nehmen, was sie wirklich sind, nämlich Zeichnungen, die auf Metall festgehalten wurden und nicht auf Papier, und sie sind wundervoll."

Canaletto erscheint wie eine Ausnahme in den letzten Tagen der venezianischen Schule, und wenn man einen Maler findet wie Francesco Guardi, der versucht hat, sich die Malweise des Meisters anzueignen, so kann man nicht einen einzigen Radierer nennen, der versucht hätte, sich von Canalettos Radierungen inspirieren zu lassen. Diese bleiben also in der Kunst, nach dem Ausdruck von Georges Duplessis, eine isolierte Erscheinung. Er handhabe die Nadel mit unvergleichlichem Geschick. Der Meister Canaletto hinterließ der Nachwelt eine Serie von einunddreißig Radierungen in verschiedenen Größen, italienische und venezianische Ansichten, von denen zwei sein Monogramm A.C. tragen. Sie sind unter dem Titel *Vedute altre prese da i luoghi altre ideate da Antonio Canale e da esso inlagliate* zusammengefasst. Nicht vergessen werden darf auch das besondere Sammelwerk mit zwölf beachtenswerten Radierungen, die er „... als Zeichen der Wertschätzung und Ehrerbietung" seinem intriganten Wohltäter Joseph Smith gewidmet hatte.

---

[1] Bei seinem Besuch in Venedig sah der französische König Heinrich III. den zu seinen Ehren gegebenen Regatten vom Palazzo Foscari aus zu.

[2] Der Lido ist ein schützender Landstreifen zwischen Venedig und der hohen See. Heute befindet sich ein von Gärten umgebenes Dorf an Stelle der kleinen Waldgebiete, die der venezianische Adel so sehr schätzte. Die Jugend übte sich hier im Bogenschießen. Noch heute erinnert die melancholische Einsamkeit der flachen Insel an zwei große Dichter.

[3] Das sehr bemerkenswerte Gemälde *Die Vermählung des Dogen mit dem Meer* ist das Gegenstück zu dem *Empfang des Grafen Gergi* in der Eremitage.

[4] Diese Bilder wurden 1742 von Visentini radiert und sind Teil eines Sammelwerks mit vierunddreißig Drucken mit dem Titel *Prospectus Magni Canalis Vcnetiarum, addito Certa-mi", exaulico et Nundinis Venetis.*

[5] Diese großartigen Malereien in der Santa Maria della Salute stammen ursprünglich aus einem anderen, inzwischen abgerissenen Flügel.

[6] Dieser Markt ist auch auf einem sehr schönen Gemälde zu sehen, das sich zurzeit in München befindet.

[7] Brustoloni hat Radierungen von Morettis *Pilgerfahrt des Dogen nach San Giorgio Maggiore* und *Die Wacht des Heiligen Petrus* und von Antonio Canals *Die Wacht der Heiligen Martha* und *Pilgerfahrt zur Erlöserkirche* geschaffen.

115. *Venedig, Der Kai, Richtung Westen, mit der Dogana und Santa Maria della Salute,* gegen 1730. Öl auf Leinwand, 58,5 x 102 cm. Tatton Park, Knutsford.

116. *Venedig, Campo Santi Giovanni e Paolo*,
gegen 1735-1740.
Feder und Tusche, 27,1 x 37,9 cm.
Royal Collection Trust, London.

117. *Venedig, Santi Giovanni e Paolo und die Scuola di San Marco*, 1726.
Öl auf Leinwand, 90,5 x 136 cm.
Privatsammlung.

Canalettos Erbe

Bellotto, Neffe und Schüler

In zahlreichen biografischen Nachschlagewerken konnte man lange Zeit nachlesen, dass Bernardo Bellotto 1724 in Venedig zur Welt gekommen ist. In einer sehr kurz gefassten, 1914 erschienen Notiz jedoch gab der Direktor des Museums für Industrielle Kunst in Rom, Julio Ferrari, den 30. Januar 1723 als das genaue Geburtsdatum an. Tatsächlich scheint Bellotto jedoch entweder zu Beginn des Jahres 1721, etwa zu der Zeit, als sein Onkel von seinem Aufenthalt in Rom zu der Lagune zurückkehrte, oder aber im Mai 1722 geboren zu sein. Diese Geburt war sicherlich ein wichtiges Ereignis in dem Leben ohne größere Zwischenfälle, das Canaletto führte. Er war kaum vierundzwanzig Jahre alt, als ihm diese Freude widerfuhr, und er hat vermutlich keine Brüder, Schwestern oder andere Neffen gehabt.

Zu welcher Gesellschaftsschicht gehörte der Vater des kleinen Bernardo Bellotto? War er Maler, Radierer oder irgendein Handwerker? Nichts kann uns darüber Klarheit verschaffen. Man kann daher keine Überlegungen darüber anstellen, welche Fähigkeiten der eben erst Geborene von seinen Vorfahren übernehmen sollte. Wir müssen uns mit dem Dunkel abfinden, das seine Geburt umgibt, das nackte Kind gibt uns keine Auskunft über seine Abstammung. Wir wissen auch nur sehr wenig über seine Kindheit, über seinen schulischen Werdegang und über seine künstlerische Ausbildung. Den Keim seines Talents verdankt er sicher seinem Onkel allein, der ihn nach seinem Bild formte und ihn in jeder Hinsicht zu seinem Erben machte; mehr noch, er machte ihn zu seinem wirklich auserwählten Schüler, zu seinem Fortsetzer, zu seinem Doppelgänger, oder, vielleicht besser gesagt, zu seinem *Alter Ego*.

Seine ersten ernsthaften Malversuche unternahm der junge Bellotto vermutlich im Alter von sechzehn bis siebzehn Jahren, vielleicht sogar im Atelier seines Großvaters, des alten Bernardo Canal. Er schien zunächst einer Art Familientradition gemäß Bühnenmaler gewesen zu sein und übte diesen Beruf bis 1742 aus. Dann wurde er der Schüler seines Onkels und blieb es, bis den jungen Venezianer seine Abenteuerlust durch ganz Europa trieb. Seiner Rastlosigkeit ist es zu verdanken, dass man gar nicht weiß, wo er überall war oder wie lange er sich nacheinander in Rom, London, München, Dresden, Pirna, Wien, Sankt Petersburg und Warschau aufgehalten hat.

Als Bellotto seine Malerlaufbahn begann, stand der damals über vierzigjährige Canaletto in voller Schaffenskraft. Im Atelier seines Onkels begegnete Bellotto höchstwahrscheinlich in der bemerkenswerten Person des Francesco Guardi einem Mitschüler, der mit noch nicht dreißig Jahren bereits auf dem besten Weg war, ein großer Künstler zu werden. In seiner Art zu malen kam er sowohl durch die Farbgebung und die Komposition der Figuren als auch durch die umfassende Harmonie der Ensembles später seinem Meister Canaletto gleich und konnte sich neben dem strahlenden Giambattista Tiepolo einordnen.

Auch Pietro Longhi kam zu Canaletto. Er ging auf die vierzig zu und schuf glänzende, sehr orthodoxe religiöse Werke, bevor er sich typisch venezianischen galanten Karnevalsthemen zuwandte.

118. **Canalettos** Atelier,
Venedig, Der Giovedi Grasso auf der Piazzetta, gegen 1741-1760.
Öl auf Leinwand, 58,5 x 92,7 cm.
The Wallace Collection, London.
(S. 200)

119. *Venedig, Der Uhrturm und ein Ausschnitt vom Markusplatz*,
gegen 1740-1745.
Feder und Tusche, 27 x 37,5 cm.
Royal Collection Trust, London.

120. *Venedig, Die Seufzerbrücke (La Riva degli Schiavoni)*,
gegen 1740.
Öl auf Leinwand.
Toledo Museum of Art, Toledo (Ohio).
(S. 204-205)

Seine Bilder sind die einzigen hochwertigen, die an diese Zeiten erinnern. Rotari trat mit Sicherheit auch in Erscheinung, bevor er sich mit dem Gedanken trug, Venedig zu verlassen. So fanden sich bei Canaletto fast alle rein venezianischen Maler von vor 1750 ein, wodurch Bellotto, ganz wie Canaletto im Atelier von Bernardo Canal, eine für seine künstlerische Entwicklung günstige Umgebung vorfand. So wuchs Bellotto heran, im Dunkel neben seinem Onkel, sicher frühzeitig voller Ehrgeiz und von seinen bevorstehenden Erfolgen überzeugt. War er ein schöner Mann, groß, klein, gut aussehend? Keine Abbildung von ihm hat der Zeit widerstanden, wir kennen auch keine Details über seine Person oder über die Abenteuer seiner Jugend, aber er schien den Charakter eines Mannes zu haben, der sich seines Wertes bewusst war. Bescheidenheit war vermutlich kein Hindernis in seiner Laufbahn.

Er musste es wohl bedauern, dass er in Canaletto nicht auch einen vergleichbaren Onkel vorfand wie ihn Marco Ricci in dem sein Leben lang höchst reiselustigen Bruder seines Vaters, Sebastiano Ricci, hatte. Dieser unermüdliche Reisende hatte ganz Italien durchquert und die Carraccios im *Palazzo Farnese* in Rom für den Herzog Ranuccio von Parma kopiert. Dann ist er zum Malen nach Deutschland gegangen, dann nach Wien, wo er Schönbrunn ausgeschmückt hat. Dann sah man ihn wieder in Florenz, wo er für den Großherzog der Toskana arbeitete, dann war er in England für die Königin Anne tätig und dann in Frankreich. Die dortige königliche Akademie hatte ihn wärmstens empfangen. Am Ende kam er mit Gütern und mit Ehren überhäuft nach Venedig zurück, um dort sein Leben zu beschließen. Sobald er alt genug dazu war, hatte sich sein Neffe Marco ihm angeschlossen auf seiner Reise durch die Welt, um ihm dabei zu helfen, die Architekturen in allen Ländern Europas zu malen.

Einen so abenteuerlustigen Onkel hätte Bellotto gerne gehabt, denn er liebte es, auf Reisen zu gehen. Aber zu seinem Bedauern konnte er sich nicht als Knappe seines Verwandten geben, außer vielleicht in London, er hatte ja Venedig schon vorher einmal verlassen. Und so sollte er den größten Teil seines Lebens im freiwilligen Exil verbringen. Der Tradition getreu, nach der jeder italienische Maler seine Laufbahn mit einem Aufenthalt in Rom beginnen sollte, wo es so viel zu lernen gab, brach er in die Stadt auf, die damals wahre Künstler hervorbrachte, und tat damit das Notwendige zur Vervollständigung seiner Ausbildung.

Weder das aufregende Leben in der Lagune noch der leidenschaftliche Streit, den der zweiunddreißigjährige Goldoni auf der Bühne mit dem sieben Jahre älteren Chiari ausfocht, nicht die Aufnahme, die er wahrscheinlich in dem Salon der brillanten Luisa Bergalli, der Gattin von Gozzi, fand, und auch nicht die vermutliche Freundschaft mit dem Sohn von Tiepolo konnten ihn in seiner Heimatstadt zurückhalten. In Rom erschien er mit einem Empfehlungsschreiben seines Onkels an dessen Freund Pannini, der mehr denn je in seine Ruinenlandschaften mit ihren Hirten und einsamen Kriegern verliebt war, und der dem jungen Maler wohl so manchen Rat gegeben hat.

In der Ewigen Stadt sah man Bellotto eine lärmende Eitelkeit an den Tag legen. In seinem Ehrgeiz und seiner Gefallsucht als neuer Meistermaler war er so davon überzeugt, ein adliger Abenteurer zu sein,

121. *Venedig, Capriccio, die Pferde von San Marco auf der Piazzetta,*
gegen 1743-1744.
Öl auf Leinwand, 108 x 129,9 cm.
Royal Collection Trust, London.

dass er sich schon bald mit dem Titel eines Grafen schmückte. Diese Täuschung hatte damals kaum Folgen; so etwas kam oft vor. Seine enorme Neugier ließ ihn in alle Richtungen forschen. Er begab sich nach Verona, wo er den *Ponte Navi* malte; in Brescia, Mailand, Pavia und Turin, die er nacheinander besuchte, malte und zeichnete er und suchte hartnäckig nach hochgestellten Schirmherren und nach einer Möglichkeit, mit möglichst wenig Anstrengung und auf allen möglichen Abkürzungen den besten Weg zu den königlichen Palästen, zu Titeln und Kostgeld zu finden. Er war ein guter Streber in einer Zeit, als es noch kaum Strebertum gab.

Zur gleichen Zeit fuhr der bescheidenere Canaletto nach London, wo er eine Weile bleiben sollte. Auch sein Neffe traf dort ein, mit seiner Anpassungsfähigkeit und seinem Geschick, sich nach dem Wind zu drehen, seiner einschmeichelnden, ja sogar intriganten Weise, und versuchte so weit wie möglich den Einfluss auszunutzen, den sein berühmter Meister und teurer Onkel, ein freundlicher und großzügiger Mann, besaß. Canaletto hat in London ohne Zweifel freundschaftliche Beziehungen zu Horace Walpole (1717-1797) geknüpft. Dieser stand damals dank seines sprühenden Geistes und der Originalität seiner Haltung als humorvoller Philosoph, eifriger Briefeschreiber und Autor von Memoiren auf dem Höhepunkt seines Ruhmes. Bernardo Bellotto hat wohl kaum die Gelegenheit vorüberziehen lassen, sich durch einen verwandten Beschützer, der schon so gut eingeführt war, empfehlen zu lassen, um seiner Erwartung zahlreicher Aufträge Nachdruck zu verleihen.[1]

Jedenfalls hielt sich Bellotto in London nicht lange auf. Als erfolgreicher Mann brach er nach Wien auf und dort, vor den Toren der österreichischen Hauptstadt, änderte er seinen Zivilstand zu seinem Vorteil. Von nun an ließ er sich als Graf Bellotto, Architekturmaler, Neffe und Schüler des berühmten Canaletto, ankündigen. Ricci hatte in Schönbrunn gemalt, Bellotto wollte ihm nachfolgen. Er schonte sich nicht, er verausgabte sich, und als er nach München kam, traf dort auch sein Onkel ein und konnte feststellen, welch glücklichen Weg er in seinem Leben schon gegangen war. Der Neffe nutzte die Gelegenheit. Er erinnerte sich daran, dass Canaletto hoch im Ansehen des Grafen Algarotti stand und dass dieser, ein enger Freund Friedrichs II., eine Korrespondenz mit dem König von Polen führte. Er machte beim Großen Kurfürsten von Sachsen auf sich aufmerksam, der, enttäuscht darüber, dass er den Onkel nicht an seinen Hof locken konnte, mit Freuden den Neffen nach Dresden rief, der sehr viel pfiffiger war und fähiger, sich dem glänzenden Hofleben der königlichen Paläste anzupassen.

An diesem extravaganten Dresdner Hof hatte der fantastische und verschwenderische August III. (1696-1763), ein heiterer und unwirklich scheinender Operettensouverän, nicht nur Maler gerufen. Musik und Gemälde waren seine Leidenschaft, und seit seiner Thronbesteigung umgab er sich mit Scharen von Sängern, Schauspielern, Schauspielerinnen und Tänzerinnen, die sich eifrig um seine Gunst bemühten. Bellotto war die willkommene Ergänzung einer Akademie von Italienern. Der legere Umgang am sächsischen Hof, der auf angenehme Weise leichtfertig, künstlerisch und hoch gebildet war,

122. *Venedig, Blick auf das Palais von San Marco, Vorbereitungen zur Hochzeit des Dogen.*
Öl auf Leinwand.
The Earl of Leicester Collection, Holkham Hall, Norfolk.

123. *Venedig, Der Kai mit dem Gefängnis und dem Dogenpalast, 1743.*
Öl auf Leinwand, 60,3 x 95,8 cm.
Royal Collection Trust, London.
(S. 210-211)

bekam Bellotto bestens, und er hegte den Wunsch, sich mit dem begehrten Titel des Hofmalers zu schmücken. Er erhielt ihn recht bald. Der gewandte Venezianer war gerade dreißig Jahre alt geworden. Man muss wohl annehmen, dass er ein angenehmer Geselle war, ein attraktiver und galanter Kavalier, der sich auch gern eitel gab. Am Ufer der Elbe wurde ein prunkvolles Leben geführt, es gab immer neue Festlichkeiten, er versäumte es nicht, ein Vermögen anzuhäufen, man brachte ihm Achtung entgegen und seinen wirklich hervorragenden Werken war Erfolg beschieden. Aus all diesen Gründen war die Zeit, die er bei dem Großen Kurfürsten verbrachte, wahrscheinlich die schönste seines Lebens.

Dresden war damals eine Stadt der Kunst und der Vergnügungen, die sich seit der Herrschaft Augusts II., des Starken (1670-1733), angenehm verändert hatte. Der extravagante Fürst liebte alles Schöne und organisierte theatralische Feste und prunkvolle Zeremonien. Die sächsischen Bürger mussten wirklich sehr gutmütig gewesen sein, wenn sie meinten, es zeuge von einem sehr guten oder gar auserlesenen Geschmack, dass ihr Monarch eines Tages aus Übermut mit seinem schrecklichen Nachbarn Friedrich-Wilhelm I. von Preußen (1688-1740) sein bestes Dragonerregiment gegen zwölf auserlesene Porzellanvasen tauschte.

August III. war den Künstlern gegenüber sicherlich nicht weniger großzügig als sein Vater. Seine einzige Sorge bestand darin, alles zu Geld zu machen, damit er nach Lust und Laune seine Residenzen, seine Hauptstadt und seine Staaten ausschmücken konnte. Die Verschwendung des Staatsvermögens war bestens organisiert – zu Gunsten der Kunst und der Schönheit. Dieser Monarch hatte den sächsischen Hof zu dem nach Frankreich bedeutendsten in ganz Europa gemacht. Er versah die Hauptstadt mit schönen Gebäuden und ließ sich großartige Paläste errichten, bei denen die Sorge um Eleganz, guten Ton und Luxus im Vordergrund stand. Er schien es sich zur Aufgabe gemacht zu haben, ein neues Versailles zu schaffen, das die Monarchen, die es gesehen hatten, immer noch blendete. Nie hatten die Künste und die Literatur einen großartigeren Beschützer. Sein Selbstverständnis als Mäzen trieb ihn zu unsinnig hohen Ausgaben. Obwohl er nicht die Fähigkeiten seines Vaters hatte, behielt August III. die prunkvollen Traditionen des verstorbenen Königs bei und gab weiterhin königlich ruinöse Summen für Bilder und für Musik aus, auch wenn er nicht viel davon verstand. Die Jagd war seine größte Leidenschaft, und da ihm sein Kurfürstentum dafür schönere Wälder bot als sein Königreich, hielt er sich stets lieber in Dresden als in Warschau auf.

Bellotto lebte nun schon mehrere Jahre in der Hauptstadt von Sachsen, in der schon einige seiner Landsleute gelebt hatten oder noch lebten, etwa der schöne Alt-Kastrat Annibali oder die berühmte Sängerin Regina Minotti (1722-1808). Im Jahr 1751 wurde Bellotto zum Hofmaler mit einem monatlichen Gehalt von 20 Talern ernannt. Der schwache August III. wurde in allen Geschäften von Heinrich Graf von Brühl (1700-1763) geleitet, einem geschickten Höfling, der sich durch seine Dienste unentbehrlich gemacht hatte. Der Graf war intelligent genug, seine Allmacht im Verborgenen zu halten und ließ den unbekümmerten Souverän in dem Glauben, er übe die Macht aus.

124. *Venedig, Der Campanile während der Reparaturarbeiten*, gegen 1745. Feder und Tusche, grau laviert, 42,5 x 29,2 cm. Royal Collection Trust, London.

A dì 23 aprile 1745 giorno di S. Giorgio Cavalier
diede la Saetta nel Companil di S. Marco

125. *Venedig, Der Kai vom Hafenbecken*
St. Marco aus gesehen, gegen 1740-1745.
Feder und Tusche, 26,7 x 37,2 cm.
Royal Collection Trust, London.

126. *Venedig, Die Piazzetta,*
zum Uhrturm hin, 1743.
Öl auf Leinwand, 60,4 x 96,6 cm.
Royal Collection Trust, London.

Er bemühte sich stets darum, jeden anderen Einfluss als den seinen vom wankelmütigen Monarchen fernzuhalten. Nicht einmal die Diener konnten ohne die Erlaubnis des Günstlings in den Palast gelangen. Als großen Anhänger der Pracht störte es August III. nicht, in dem Hause seines Ministers einen ebensolchen Luxus wie in seinem eigenen vorzufinden. Graf Brühl hatte mehr als zweihundert Diener und nach den Worten Friedrichs II. war er „… in diesem Jahrhundert der Mann mit den meisten Spitzen, Stiefeln, Schuhen, Uhren, Anzügen und Pantoffeln. Cäsar hätte ihn unter den parfümierten Lockenköpfen eingeordnet, die er nicht fürchtete." Wenn sein Herr ihn fragte: „Brühl, habe ich Geld?", dann war die Antwort immer positiv. Es war ihm gleichgültig, wenn er die Armee so verringerte, dass er Friedrichs Truppen nur noch siebzehntausend Männer entgegenstellen konnte und den Staatshaushalt ruinierte und in den Bankrott führte.

Dieser schlechte Minister schätzte Bellottos Talent. Sein politisches Handeln ist zwar streng zu verurteilen, aber man muss ihm zweifaches Verdienst anrechnen: Er hat sich seiner Glaubwürdigkeit bedient, um die Künstler zu beschützen, und er hat sie großzügig belohnt, wenn er Gefallen an ihnen hatte. Bellotto fand in dem großzügigen Minister Brühl bald einen Freund und Beschützer. Der Finanzminister verschaffte ihm Aufträge für die Galerien des Fürsten, da er aber selbst sehr kunstsinnig war, ließ er kaum eine Gelegenheit aus, sich aus den Werken des Künstlers zu bedienen. Er nahm Gemälde an sich, bei denen die Dankbarkeit Pate gestanden hatte, deren Bezahlung jedoch von Jahr zu Jahr aufgeschoben wurde, als ob es von beiden Seiten eine stillschweigende Vereinbarung gäbe.

Bellotto durchstreifte das wunderschöne alte Dresden in alle Richtungen. Die Stadt, zum großen Teil verschwunden und heute wieder aufgebaut, verdankt ihm ein unvergleichliches zweites Leben in anschaulichen Bildern, die vor allem Sammlungen in großen deutschen Städten bereichern. Reiche Viertel mit Gärten, Brunnen und Palästen, arme Viertel, die fein sich abhebende Kirchtürme überragen, Bellotto hat alles, was er sah, mit einer Leichtigkeit gemalt, die ihn als wahren Meister seiner Technik und als glühenden Bewunderer seiner Kunst ausweisen. Er war der vollkommenste und der wahrhaftigste Gestalter der Abbildungen von Dresden. Manchmal hatte er Heimweh nach Venedig. Dann ließ er die Bilder aus der Ferne auf sich wirken und nutzte die Gelegenheit, um die Verlässlichkeit seines enormen Gedächtnisses zu Geld zu machen. Aus dem Stegreif komponierte er dann Gemälde, in denen die *Dolce Patria* in strahlender Schönheit lebendig wurde, wie er sie mit seinen Künstleraugen als freiwillig Ferngebliebener von der Lagune mit ihrem unvergesslichen Flimmern sah.

Vielleicht halfen ihm bei diesen Werken Zeichnungen oder alte Radierungen, die er aufbewahrt hatte, vielleicht bezog er sich auch auf Radierungen, die nach den Werken seines Onkels gemacht worden waren. Fest steht, dass diese Gemälde, die bestätigen, dass er in Sachsen Heimweh nach Venedig bekam, obwohl sie im Atelier entstanden, sehr schätzenswert sind und mit äußerster Genauigkeit die Formen und Farben der Kirchen, Plätze und Monumente jener Stadt wiedergeben, deren Schutzpatron Sankt Markus ist und zu deren wunderbaren Kindern Piranesi zählt.

127. *Venedig, Markusplatz und die Piazzetta,*
vom Uhrturm aus gesehen,
gegen 1743-1744.
Öl auf Leinwand, 78,6 x 122 cm.
Royal Collection Trust, London.

Bernardo Bellotto bezeugt auch in diesen kleinen Werken sein meisterhaftes Geschick. Man muss ihm uneingeschränkt und in dem gleichen Maße wie seinem Onkel das Talent zugestehen, große Schatten selbst im Vordergrund so darstellen zu können, dass sie niemals dicht, drückend oder schwerfällig wirken. Der Neffe machte sich die wunderbare Geschicklichkeit zu Eigen, die Canaletto bewies, wenn es darum ging, mit solchen Schwierigkeiten fertig zu werden. Als Maler behandelte er die Schattenzonen vielleicht undurchsichtiger, und dieser Mangel an Helligkeit im Gegenlicht, dieses Fehlen der Transparenz in den Grautönen und in den Halbschatten wurden ihm mit Recht von den meisten Kritikern vorgeworfen. Aber haben sich seine Farben nicht im Lauf der Zeit verdunkelt?

Lange Zeit hatte man die Veränderung der Farben beim Altern nicht beachtet. Das Material, aus dem die Bilder sind, stirbt nicht, es verändert sich aber im Laufe der Jahrhunderte. Das Material der frühen Meister bewegt sich kaum und überrascht durch seine Solidität, das gilt jedoch nicht für die Malereien des 17. und 18. Jahrhunderts. Die Bilder der Renaissance könnten so gesehen die Elemente für eine eingehende Studie kritischer Beobachtungen liefern, die sich mit dem ursprünglichen Zustand der berühmtesten Gemälde der großen Koloristen beschäftigen würden. Die Veränderungen waren sicherlich in den meisten Fällen beachtlich. Unser Urteil ist deshalb manchmal falsch, denn es geht in der Bewertung oder in der Abwertung von einem Zustand aus, in den die Zeit diese Farbzusammensetzungen versetzt hat, deren Aussehen ursprünglich ganz anders war, als man es heute erkennen kann.

Beide Canaletto mussten sehr klar gemalt haben. Ihre Himmel mussten das frische Perlmutt von Muscheln gezeigt haben, und die Wasseroberflächen, die dunkler geworden sind, die sich etwas schmutzig und abgebröckelt zeigen, mussten anfänglich eine Transparenz, etwas milchig Weißes, einen weißlichen Farbton gezeigt haben, den man heute nicht mehr sieht. Die Bilder werden nicht besser, wenn sie altern, ganz im Gegenteil! Anders gesehen, wenn es bewiesen wäre, dass Canaletto sehr wohl seine Figuren von Tiepolo oder Guardi oder sogar Longhi machen ließ, dann könnte man daraus schließen, dass weder er noch der Maler Augusts III. dazu bestimmt waren, ihre Gemälde mit ihren eigenen Figuren zu bevölkern. Es ist jedoch äußerst schwierig, in diesem Punkt zu einem unwiderruflichen Schluss kommen zu wollen. In der Königlichen Pinakothek von Parma gibt es Bilder von Bellotto, vier Ansichten von Rom, deren Figuren Zuccarelli zugeschrieben werden und die der durchaus angenehmen Art dieses Malers entsprechen, die manierierter und ganz anders ist als die Bellottos. Aber war diese Zusammenarbeit damals in den Augen der Künstler nicht ganz natürlich? Sie halfen einander, in Flandern wie in Italien, und zusammen zu arbeiten war ganz normal. Alle waren daran gewohnt, einem Kollegen zu helfen oder Hilfe von ihm zu erhalten, ohne dass daraus Konsequenzen entstanden.

Bellotto nahm so die Hilfe des Bolognesen Stefano Torelli (1712-1784) in Anspruch, um seine perspektivischen Paläste und Kirchen zu beleben. Diese Zusammenarbeit zumindest ist sicher und kann nicht widerlegt werden. Auch Torelli kam aus Italien, Dresden war seit 1740 seine zweite Heimat. Er malte Altarbilder und Decken für vornehme, aber heute nicht mehr erwähnenswerte und nicht erhaltene Residenzen. Brände und Zerstörungen waren die traurigen Folgen des Siebenjährigen Krieges (1756-1763) in diesem Land und vernichteten fast völlig die geduldige Arbeit, die Torelli zur Perfektion bringen wollte. Er starb 1784 in Sankt Petersburg.

128. *Venedig, Markusplatz und die Piazzetta mit dem Campanile,* 1744.
Öl auf Leinwand, 78,1 x 121,3 cm.
Royal Collection Trust, London.

129. *Venedig, La Loggetta,* 1730er.
Öl auf Leinwand, 45,5 x 75,4 cm.
The Barber Institute of Fine Arts, Birmingham.
(S. 220-221)

Die einundzwanzig Bilder mit den Ansichten von Dresden sind der Großzügigkeit des Grafen Brühl zu verdanken. Sie waren für seinen Palast bestimmt und zwischen 1747 und 1755 ausgeführt worden. Als sein Schirmherr starb, verlangte Bellotto die ausstehenden Zahlungen, und da die Erben wenig Anstalten zeigten, ihn auszuzahlen, überließ der arme Maler dem Hof seine gesamten Arbeiten zu einem Preis, der kaum ihrem Verdienst und ihrer Bedeutung entsprach. Alles in allem wurde ihm für diese Gemälde, von denen mehrere großen Formats waren, jeweils zweihundert Taler gezahlt, was eine Gesamtsumme von viertausendzweihundert Talern ergab. Das ganze alte Dresden ist darauf zu sehen, mit den hübschen Fassaden und der reizvollen Umgebung, mit der Elbbrücke und den Festungsmauern, mit der Alten Wache, der Reustadt und der Heiligkreuzkirche, in deren aus der Ferne sichtbarem Turm noch die preußischen Kanonenkugeln stecken, eine traurige Ruine, die 1765 zusammenbrach. Das letzte Bild wurde 1764 auf Bitten des Künstlers, der sich damals in einer äußerst peinlichen Situation befand, von dem Fürsten Xaver erstanden.

Im Übrigen schuf er 1758 im Auftrag von Maria Theresia von Österreich (1717-1780) eine Reihe bemerkenswerter Gemälde von den Schlössern und Palästen in ihrem Reich. Diese wunderbare Serie neuer Werke bereicherte das Erzherzogtum Österreich. Noch heute lassen sie den Betrachter nicht unberührt, der in Wien die Sammlungen Liechtenstein, Schönbrunn und Harrach bewundert.

Die Kapitulation der kleinen sächsischen Armee 1756 bei Pirna führte zum Verlust des Kurfürstentums. Kurfürst August III. und Graf Brühl zogen sich von Königstein nach Warschau zurück, wohin ihnen Bellotto bald folgte. Zwar wurde bei diesem Rückzug an die Gemälde und an den Schmuck gedacht, die Archive des Kurfürstentums jedoch vergaß man und so fielen sie in die Hände des Feindes. Dieses Detail allein lässt die Gleichgültigkeit dieser Menschen ermessen, die auch durch Erfahrung nicht besser wurde. In Warschau wurde im gleichen Stil weiter gelebt, und der Graf blieb seinem Motto treu: „Von Tag zu Tag leben, die Geschäfte erledigen sich dann schon von selbst." Der König wurde 1763 nach Sachsen zurückgebracht; er war verzweifelt und sein Minister sehr krank. August III. starb am 5. Oktober und Graf Brühl überlebte ihn nur um dreiundzwanzig Tage, gerade genug, um seine Ungnade zu erleben.

Bellotto war jedoch nicht der Mann, der sich durch Widerstände aus der Fassung bringen ließ. Zurück in Dresden zeigte sich der ehemalige Maler des Königs überall in der Öffentlichkeit. Sechs Monate nach seiner Rückkehr 1764 verschafften ihm seine Titel neue Ehren und er wurde zum Mitglied der *Akademie der Schönen Künste* ernannt. Vier Jahre lang arbeitete er weiter an seinen Ansichten von Dresden, von denen heute siebenunddreißig in der großartigen Sammlung dieser Stadt vereint sind. Zwischen 1766 und 1768 verspürte er das Bedürfnis, seinen Finanzen mehr aufzuhelfen, als dies in Dresden möglich war. Er bat um Urlaub und begab sich nach Sankt Petersburg an den russischen Hof, wo er aller Wahrscheinlichkeit nach etwa achtzehn Monate oder zwei Jahre arbeitete.

Seine Karriere verlief sehr schnell. Er war erst fünfundvierzig Jahre alt, als er am 20. April 1768 vom Tod seines Onkels Canaletto in dessen einundsiebzigstem Lebensjahr in Venedig erfuhr.

130. *Venedig, San Giorgio Maggiore,*
gegen 1735-1740.
Feder und Tusche, 26,8 x 37,7 cm.
Royal Collection Trust, London.

131. *Venedig, Blick auf den Canal Grande:*
Santa Maria della Salute und die
Dogana, vom Campo Santa Maria
Zobenigo aus gesehen, frühe 1730er.
Öl auf Leinwand, 54,6 x 100,3 cm.
The Fitzwilliam Museum,
University of Cambridge,
Cambridge.
(S. 224-225)

Dennoch brachte ihn die Trauer nicht in die Lagune zurück, die er nie wieder sehen sollte. Von nun an gab es nur noch einen einzigen Canaletto. Er erwartete sich davon außergewöhnliche Ehren. Bernardo Bellottos Wunsch ging bald in Erfüllung. Der polnische König Stanislaw II. August Poniatowski (1732-1798) berief ihn 1770 als Hofmaler nach Warschau. Obwohl er noch jung war, war Warschau die letzte Etappe seines Vagabundenlebens als kosmopolitischer Künstler, wie es den Menschen seiner Zeit und seines Landes entsprach. Bellotto lebte bei dem König von Polen in relativem Frieden und in einem Luxus, der seinen Ehrgeiz weitgehend befriedigte.

Wahrscheinlich hatte ihn ein Brief des edlen Herrn Francesco Algarotti (1712-1765), dem Freund Canalettos, beim König von Polen eingeführt, der stolz war auf die Freundschaft mit dem großen Dichter, Reisenden, Schriftsteller, Astronomen, Philosophen und venezianischen Kunstliebhaber, als der der außergewöhnliche Graf Algarotti firmierte. Die Unterschiede in den Charakteren von Canaletto und Bellotto lassen den Historiker darauf schließen, dass der gutmütige Onkel sich dem so herrisch strebenden Neffen gegenüber so zeigte wie später Ludwig van Beethoven (1770-1827) seinem Neffen Karl gegenüber, der ihm den größten Kummer bereitete. Man muss jedoch anerkennen, dass Bellotto die Zärtlichkeit, die ihm sein verwandter Meister entgegenbrachte, weitgehend verdiente. Er war es würdig, der Fortsetzer dessen zu sein, der ihn auf den Weg gebracht hatte, und es gelang ihm auch beinahe, dessen Maltechnik Konkurrenz zu machen und dessen Geschick gleichzukommen.

Am 17. Oktober 1780 wurde der Siebenundfünfzigjährige nach einem Schlaganfall leblos aufgefunden. Ein typischer Tod für jene, die das Essen reichlich lieben und die sorglos den Tafelfreuden frönen. Das dürfte dem Epikureer gefallen haben, der sich gerne den materiellen Freuden hingab und in der kurzen Zeitspanne des Lebens nach allen reifen Früchten griff.

Neben seiner Malerkarriere versuchte sich Bellotto mit Erfolg, und darin unterscheidet er sich von seinem Onkel, der diesen Fähigkeiten nie nachgegangen ist, mit der großformatigen Radierung von Figuren. Man kennt von ihm vor allem ein großes Format mit dem Titel *Der Großzügige Türke*, die Wiedergabe eines Werks, das eine Szene aus einem 1758 in Wien inszenierten pantomimischen Ballett darstellt. Mit der Nadel setzt Bellotto sein Werk als Radierer fort. Seine Technik stammt direkt von Canaletto ab. Ganz ähnlich reserviert er weiße Flächen, und mit ähnlichem Geschick und subtiler Einfachheit versucht er, Nachschnitte zu vermeiden.

Es gibt zahlreiche Werke mit seinem Monogramm B.B. Die berühmtesten sind unter dem Titel *Vedutte de la Citta di Dresda* bekannt, sie sind ohne Ort und Datum in einem In-Folio-Band zusammengefasst. Es gibt dreizehn Radierungen des Künstlers zwischen 1748 und 1752. Bellotto radierte seine eigenen Werke und wir verdanken ihm mehrere radierte Ansichten von Dresden und von Pirna. Diese rar gewordenen Drucke zeigen sehr viel Ähnlichkeit mit den Vorbildern, die er wiedergeben wollte. Wirkung und Perspektive werden in einer klaren Bearbeitung des Kupfers gleich behandelt; auch die verschiedenen Blickwinkel zeigen sich unverändert. Andere Radierungen von Bellotto mit dem Monogramm B.B., die nun auch mit „detto il Canaletto" signiert sind, zeigen Ansichten von Warschau und von reizvollen, mehr oder weniger erdachten Landschaften.

132. *Blick auf Venedig,* 1726-1728.
Öl auf Leinwand, 194 x 204 cm.
Musée de Grenoble, Grenoble.

Wie dem auch sei, die Radierungen von Bellotto stehen hinter denen von Canaletto zurück, die in der Kunst ganz einzigartig dastehen, unabhängig von den Anstrengungen anderer venezianischer Radierer des späten 18. Jahrhunderts, die, wie Giacomo Leonardi, Pietro Monaco und Francesco Bartolozzi den Meister Canaletto zu übertreffen suchten, ohne allzu sehr seinen Stil nachzuahmen.

So lassen sich die verschiedenen Phasen der Existenz des Bernardo Bellotto zusammenfassen, aber trotz allem lässt sich nicht in alle unbekannten Einzelheiten vordringen. Eine tiefer gehende Untersuchung dieser Biografie, mit Hilfe der vielleicht vernachlässigten Archive von Venedig, Sachsen und Polen, wäre von lebhaftem Interesse. Das Privatleben ist jedoch wesentlich weniger interessant als der Künstler und sein Werk. Vielleicht beschränkte sich seine Intelligenz darauf, sein künstlerisches Glück zu lenken und seinen Ehrgeiz zu befriedigen, was oft seinen Werdegang als wandernder Maler und Porträtist malerischer Städte zu bestimmen schien.

So ähnlich seine Kunst auch derjenigen Canalettos sein mag, Bellotto bestätigt nicht das Sprichwort, nach dem der Apfel nicht weit vom Stamm fällt. Beide waren in Geschmack, Charakter, Lebensführung und Lebensplanung völlig entgegengesetzt. Der lebhafte Bellotto entsprach in vielerlei Hinsicht dem reiselustigen Venezianer, der zur Eroberung einer Welt der Feste mit erklärtem Appetit auf Ehren und Luxus aufbrach. Allein was von seinem Aufenthalt in deutschen und slawischen Ländern und möglicherweise in England bekannt ist, rückt ihn unbestreitbar in die Nähe des Abenteurers, wie er sich in der Mitte des 18. Jahrhunderts überall in Europa zeigte, insbesondere des Typs, der das großzügige Italien zur Heimat hatte, das so viele Künstler hervorbrachte, die für das ästhetische Empfinden der Welt unverzichtbar sind.

Bernardo Bellotto schien dafür prädestiniert zu sein, auf den großen Reiserouten all diesen wandlungsfähigen Glücksrittern und Gelegenheitsjägern zu begegnen, die, aus der Toskana, dem Piemont und aus Venetien kommend, sich instinktiv diesen utopischen und prunkvoll fantastischen Ländern zuwandten, den deutschen Kurfürstentümern, den souveränen Mächten an den Ufern der Donau und den slawischen Gebieten. In Warschau und in Sankt Petersburg herrschte manchmal eine wunderbare Eigenwilligkeit inmitten einer geordneten Großzügigkeit und künstlerischen Pracht, die alle Hoffnungen der Höflinge des Glücks rechtfertigte. Oft wurden dort originelle Geister mit offenen Armen aufgenommen: die Apostel okkulter Wissenschaften; die Künstler, die die Kirchen, Paläste und ländlichen Residenzen zu verschönern wussten; die Sänger großen Stils, hübsche Tänzerinnen und Schauspielerinnen; die Finanzleute, die Lotterien organisieren konnten; exzentrische falsche Fürsten, Zauberer; all jene, die in privaten und öffentlichen Aufführungen ein luxuriöses Leben darboten. Die Italiener waren die Favoriten. Sie brachten den Sonnenschein aus ihrem Heimatland mit, die anmutige Ungezwungenheit, die Freude am Gespräch, die wendigen Gesten, die lautstarke Fröhlichkeit, die Vorurteilslosigkeit, den angeborenen Hang zum Amüsieren und die unauslöschliche Freude am höflichen Geplauder, die sie so umgänglich, freundlich und liebenswert macht.

Jeder konnte sehen, dass Bellotto der Prototyp des venezianischen Charmeurs war. Zwar hatte er nicht die Bescheidenheit und die einsame und zurückhaltende Tugend seines Onkels, aber er war

133. *Venedig, Riva degli Schiavoni,*
gegen 1734-1735.
Öl auf Leinwand,
126,2 x 204,6 cm.
Sir John Soane's Museum,
London.

134. *Venedig, Der Canal della Giudecca*
mit der Kirche dei Gesuiti,
Datum unbekannt.
Privatsammlung.
(S. 230-231)

135. *Venedig, Sant'Elena und Certosa,*
von der Punta di Sant'Antonio aus gesehen,
gegen 1740.
Feder und Tusche, grau laviert,
15,5 x 34,9 cm.
Royal Collection Trust, London.

136. *Venedig, Sant'Elena de San Pietro,*
gegen 1740.
Feder und Tusche, grau laviert,
15,8 x 34,9 cm.
Royal Collection Trust, London.

nicht unsympathisch. Er hatte vielleicht nicht die kreative Überempfindlichkeit des Genies und die grundlegende Originalität, aber man muss ihm zugestehen, dass er sein Talent durch fruchtbare Arbeit förderte. Durch seine immer wieder neuen Themen bietet sein Werk unendlich mehr Vielfalt als das des großen Onkels. Er hatte das Glück, dass er dessen wichtigster Erbe wurde, zu dem ihn seine natürliche Begabung als Nutznießer wirklich befähigte.

Bellotto war zweifellos ein Erbe des Ruhmes auf Lebenszeit. Die Nachwelt verband ihn mit Canaletto, er folgte ihm wie einem Schatten; Onkel und Neffe, Meister und Schüler, waren noch lange Zeit die beiden Canaletto; unzertrennlich sind sie seither für alle Liebhaber der Ansichten von Venedig aus dem 18. Jahrhundert. Die Porträts der großen Städte Europas, die mit so viel Gespür für das Malerische und mit so viel technischer Kenntnis der Perspektiven und Architekturen gemalt wurden, entsprachen einer Tradition städtischer Porträts, die heute unbeachtet und verloren zu sein scheint. Bellotto war ein Meister darin, und in gewisser Weise machen sie sein Werk unsterblich.

Lange Zeit war der Neffe des berühmten Künstlers nur Bellotto oder Graf Bellotto, der Schüler und Neffe des berühmten Canaletto. Er signierte seine Gemälde, unbesorgt wie sein Onkel um die korrekte Schreibweise, mit Bellotto, Belotto oder Belotti. Seine königlichen Gastgeber im Ausland jedoch, die dem reiseunlustigen Meister nicht begegnet waren, nahmen die berühmte Verwandtschaft zum Anlass, ihn bei Aufträgen mit dem Beinamen Canaletto zu versehen. Erst nach dessen Tod jedoch übernahm Bellotto, sei es durch Eigenmacht, sei es durch ordnungsgemäße Überlassung von Seiten Canalettos, den ruhmreichen Namen, der heute Canaletto der Jüngere lautet. Die damaligen Venezianer jedoch wussten von dieser Übertragung zweifellos nichts. *Bellotto detto il Canaletto* war noch später die Signatur, die besonders im Ausland bekannt war. Jedenfalls war am Ende des 18. und in der ersten Hälfte des 20. Jahrhunderts noch nicht von den „beiden Canaletto" die Rede und Bellotto stand für sich. Der jüngere Canaletto näherte sich jedoch in seiner Malweise so sehr der seines Verwandten an, dass selbst geübte Augen manchmal ihre Werke verwechseln.

Colombini, Marieschi, Visentini, Guardi und Longhi

Schon zu seinen Lebzeiten hatte Canaletto viele Maler inspiriert, die in ihren Bildern dem von ihm vorgegebenen Weg folgten, sei es auf direktem Rat von ihm hin oder in Anlehnung an sein Beispiel. Von den nicht wenigen in Vergessenheit geratenen Namen können zumindest die von Battaglioni, Colombini, Visentini, Marieschi und Guardi genannt werden. Vor allem der Letztere ist es wert, als Nachfolger des brillanten Landschaftsmalers genannt zu werden. Auch andere malten Venedig nach Canaletto. Dabei denkt man vor allem an die englischen Aquarellisten wie Roberts, Bonnington und an Turner, oder auch an die Franzosen Ziem und Joyant. Es gab auch viele, die Radierungen von seinem Werk anfertigten, von Fletscher, Muller und Wagner bis hin zu Gautier, Brustolini und Brunet-Debaisnes. Dies weist auf sehr viel Mut von all diesen Künstlern hin, denn sie riskierten aus freiem Willen den gefürchteten Vergleich, der sich dem Betrachter von selbst aufdrängte.

Colombini de Treviso war ein Meister der Perspektive und schuf für die Dominikaner seiner Heimatstadt Gemälde, die die Mönche gerne zeigten.[2] Es ist schwierig, Jacopo Marieschi als Maler einzuordnen,

137. *Die Dogana in Venedig,*
gegen 1724-1730.
Öl auf Leinwand, 46 x 63,4 cm.
Kunsthistorisches Museum Wien,
Wien.

138. *Venedig, Blick auf den Canal
Santa Chiara,* Datum unbekannt.
Öl auf Leinwand, 48,5 x 79 cm.
Musée Cognacq-Jay, Paris.
(S. 236-237)

weil die Gemälde, die ein Urteil über ihn zulassen könnten, entweder anonym sind oder verschiedenen Namen zugeordnet werden.[3] Allerdings hat dieser Architekt, der nach Lanzis Meinung sehr gut in der Darstellung menschlicher Figuren war, unter dem Titel *Venetiariim urbis prospectus celebriores*[4] eine höchst interessantes Sammelwerk hinterlassen. Die Figuren darin sind geistvoll zusammengestellt und zeigen in ihrer Haltung bei den Spaziergängen und bei den zeitgenössischen Spielen recht interessante Einzelheiten. Dennoch bleibt Marieschi in Bezug auf das Licht und auf die Unkompliziertheit der Arbeit weit hinter Canaletto zurück. Er hat das Kupfer nur zögernd bearbeitet, und trotz seiner echten Fähigkeit zur Inszenierung bemerkt man eine gewisse Unsicherheit im Umgang mit dem Handwerkszeug.

Antonio Visentini, der seine Mittel besser beherrschte, kann man zuweilen die Monotonie und die Kühle seiner Werke vorwerfen. Er war Schüler von Pellegrini und hat eine Reihe von Ansichten nach Canaletto radiert, in denen man vergeblich nach der geringsten Bemühung sucht, die schönen Farben und die malerische Wirkung der Originale wiederzugeben. Er veröffentlichte 1742 eine Reihe über den *Canal Grande* und die wichtigsten Gebäude Venedigs. Dieses Werk, das nach seinem Porträt und dem von Canaletto entstand, enthält die gewissenhaften, aber leider etwas mittelmäßigen Abbildungen einer Serie von Gemälden des Meisters, die sich im Besitz von Smith befanden. Die Figuren darin sind etwas zu oberflächlich, man wünscht sich fast, Visentini hätte nach einer langen, aber nicht sehr ergiebigen Schaffenszeit die willigen Pinsel von Tiepolo und Zuccherelli[5] zu Hilfe genommen, um seine eigenen Kompositionen zu beleben.

Francesco Guardi war der beste und der ausdrucksstärkste Schüler Canalettos. Er schuf lebendige Ansichten von Städten und städtischen Landschaften und übertraf manchmal sogar seinen Meister, um selbst zum Meister zu werden. Seine Größe wird umso offensichtlicher, je länger man ihn studiert; dann erkennt man nach und nach, dass sein Talent weit über die Grenzen hinausragt, in die man ihn zuerst verwiesen hatte. Im Übrigen lieferte er im Laufe seines Lebens nicht weniger Beweise seines Talents und erfuhr nicht weniger Berühmtheit als Canaletto, dem er in seinem Genre nachfolgte. Man sah ihn als eine Art anderen Canaletto an und in den Sammlungen, in denen die Gemälde der beiden Maler nebeneinander hingen, zögerte man, wem man mehr Bewunderung schenken sollte. Canaletto war methodischer und überlegter in der Anwendung der Perspektive und genauer bei den architektonischen Details, aber Guardi besaß eine Freiheit, die ihn attraktiver machte, er hatte keine Scheu vor Menschenmengen und seine Art, das Licht zu zerstreuen, gefiel dem Auge. Trotz seiner vordergründigen Leichtigkeit war er ein ernsthafter Arbeiter und seine an Sonne und Fröhlichkeit reichen Werke waren besonders bei den Engländern gefragt. In der Sammlung von Sir Richard Wallace befanden sich bis zu zehn seiner Bilder neben siebzehn von Canaletto.

Außer Guardis sehr umfangreichem Schaffen verdient eine Reihe von Bildern besondere Aufmerksamkeit, deren Zuordnung lange diskutiert wurde. Sie kam unter dem Namen des Meisters nach Frankreich und wurde schließlich wieder dem Schüler zuerkannt. Schuld an dieser Verwirrung war Brustoloni, der den Namen *Antonio da Canal* an zwölf Werken anbrachte, die die Krönung des Dogen und andere wichtige Zeremonien zeigen, an denen der hohe Herr beteiligt war.

139. *Venedig, Der Uhrturm auf dem Markusplatz,* 1728-1730. Öl auf Leinwand, 52,1 x 69,5 cm. The Nelson-Atkins Museum of Art, Kansas City.

140. *Venedig, Campo San Vidal und Santa Maria della Carità,* gegen 1725. Öl auf Leinwand, 123,8 x 162,9 cm. National Gallery, London. (S. 240-241)

Man kann sich kaum erklären, wie dieser Irrtum zu Lebzeiten der Künstler möglich war, die ja an der Wiederherstellung der Wahrheit interessiert waren. Wenn man jedoch die *Festlichkeiten des Giovedi Grasso* und die *Prozession* ansieht, die beiden einzigen Exemplare aus dieser Reihe, die sich im *Louvre* befinden, und mit Canalettos Ansicht der *Santa Maria della Salute* und mit seinen Radierungen vergleicht, so ist es schwierig, einzusehen, dass diese so verschiedenartigen Werke von ein und derselben Hand stammen sollten, selbst, wenn man davon ausgeht, dass die Maltechnik des Künstlers eine allmähliche Entwicklung zu einer größeren Freiheit hin durchgemacht hat. Auf Brustolonis Radierungen sucht man vergeblich nach dem Schwung und der Leichtigkeit des Pinselstrichs, die die Originale auszeichnen, doch auch wenn diese Darstellungen nicht perfekt und etwas ungeschickt sind, geben sie doch wertvolle Hinweise auf die Geschichte Venedigs. Wer auch immer sie geschaffen haben mag, die Originalgemälde, die heute auf Brüssel, London und Paris verteilt sind, waren ohne Zweifel Auftragsarbeiten anlässlich der Wahl des Dogen Mocenigo.

Guardis Bilder führen zunächst nach San Marco. Der Neugewählte sitzt auf der Tribüne links vom Chor, wo er vereidigt wird, dann überreicht man ihm die Standarte der Republik und den Dogenmantel. Der erste Diener Venedigs verlässt die Basilika in einer besonderen, *Pozzetto* genannten Sänfte, seine beiden nächsten Verwandten neben ihm, die Träger überqueren die Piazza im Laufschritt. Die zwei Becken vor ihm sind mit Gold- und Silbermünzen mit seinem Abbild gefüllt, die er im Vorbeigehen in die Menge wirft. Der Künstler hat es wunderbar geschafft, das Gedränge und das unbeschreibliche Durcheinander dieser Menschenmenge darzustellen, das die Amtsdiener mit ihren langen Stangen kaum in Schach halten können. Dann die Krönung des Dogen im Innenhof des Palastes oben auf der Riesentreppe. Der *Corno Ducale*, den man wie ein Diadem auf seinen Kopf setzt, hat an der Spitze einen großartigen Diamanten, ein Geschenk des französischen Königs Heinrich III. (1551-1589), und eine Reihe großer und seltener, wertvoller schwarzer Perlen. Schließlich macht sich der hohe Fürst im Ratssaal der Fünfhundert bereit, eine Rede zu halten, in der er sich für die hohe Würde bedankt, die ihm anvertraut wurde.

Dann kommen die Zeremonien der Vermählung mit dem Meer, der Aufbruch zum Lido, die Durchführung der symbolischen Rituale und der Halt bei der Rückfahrt an der Kirche *San Nicolo*. Es folgen die Festlichkeiten des *Giovedi Grasso* und die Menschenpyramide unter dem Balkon des Dogenpalastes, die glänzende Prozession auf der *Piazza* und verschiedene Pilgerstationen, an denen der Doge in seiner Robe aus schwarzem Tuch mit seinem Staatsgefolge und den ausländischen Botschaftern teilnahm. Die lebendigen und vielfältigen Farben der Kostüme und der Luxus der Gondeln verliehen diesen Festlichkeiten einen wunderbaren Glanz. Sie waren so häufig geworden, dass die vorgeschriebene Teilnahme eine der zeitraubendsten Verpflichtungen des diplomatischen Korps war. An diesen Tagen waren die Gondoliere im Dienst des Staates zu stolz, um selbst zu rudern, und ließen sich von kleinen Booten ziehen, in denen Musiker saßen. Guardi zeigte diese prunkhaften Gefolge mal vor der Kirche *San Barnaba*, bei der sich der Doge am Ostersonntag mit seinen Krönungsinsignien zeigte, mal auf den Stufen der *Santa Maria della Salute*, wo man sich zur Erinnerung an die Befreiung von der Pest einfand.

141. *Capriccio mit einer Terrasse und der Loggia eines Palastes,*
gegen 1755-1760.
Feder und Tusche, grau laviert,
36,3 x 53,1 cm.
Royal Collection Trust, London.

142. *Capriccio mit einem Triumphbogen, Blick durch den verzierten Bogengang,*
gegen 1750.
Öl auf Leinwand,
101,6 x 128,3 cm.
Arundel Castle, Arundel.
(S. 244-245)

Guardi ist sozusagen das Verbindungsglied zwischen Canaletto und Longhi. Die beiden ersteren zeigen die äußere Maske der Stadt, der Dritte bietet dem Betrachter genauere und intimere Einsichten. Man kann ihn von den anderen nicht trennen und er ist schon gar nicht von der Serie dieser Meister wegzudenken, ist er doch einer ihrer geistvollsten und attraktivsten Vertreter.

Longhi war zu seinen Lebzeiten ebenso beliebt wie Guardi. Wie dieser war er in Frankreich weniger bekannt und geschätzt als in England. Er war Schüler von Balestra und dann von Crespi und widmete seine Gemälde zeitgenössischen Szenen und Maskeraden, die seine beiden Landsleute zu Beiwerk ihrer Architekturen gemacht hatten.

Auf den fünfzehn Bildern im *Museo Correr* erkennt man sofort die Leichtigkeit seines Pinselstrichs und den Charme seiner Farbgebung. Longhi ist zwar ein etwas oberflächlicher Beobachter und nicht allzu tiefgründiger Humorist, der aber die Stimmung der venezianischen Gesellschaft auf bewundernswerte Weise festgehalten hat. Er ist kein zarter Poet in der Art von Watteau und kommt auch nicht an die Gewissenhaftigkeit und an die Technik von Chardin heran, aber er hat etwas von diesen beiden Künstlern. Longhi ist jedoch weit davon entfernt, ihnen gleichzukommen. Er war bei diesen Zusammenkünften der Adligen in den Spielsälen und in den Cafés dabei und niemand hat die in ihren weiten Mänteln verborgenen Persönlichkeiten und die rätselhaften Masken besser dargestellt als er. Longhi war der Maler der Kavaliere und der gefallsüchtigen Damen, die vorübergehend ihre Ahnen vergaßen, er war aber auch der Maler der Patrizier mit ihren riesigen Perücken, der jungen Frauen in ihren Kleidern mit den zarten Farben: graue Seide und blasses Gelb. Richtig lebendig macht er sie mit ihren lächelnden und spöttischen Mienen, diese Königinnen ihrer Damenzimmer, wie sie den Komplimenten der mit venezianischen Spitzen geschmückten Männer mit dem artigen Dreispitz auf der gepuderten Frisur lauschen! Wie er den aristokratischen Schwung ihrer Taille und ihre feinen Knöchel und Handgelenke betont! Niemand hat das Spezifische des Ortes besser erfasst, nicht nur im Ausdruck der Figuren, sondern auch in all den sie umgebenden Accessoires.

Die Malerei ist eine der bedeutungsvollsten Ausdrucksweisen des sittlichen Lebens eines Volkes. In der Geschichte einer jeden Nation findet sich eine kurze Periode, die die ausschließlich kriegerischen Sitten von denjenigen des Vergnügens trennt, eine einmalige Periode, in der die Energie des Volkes, die bis dahin durch die kriegerischen Unternehmungen aufgesogen wurde, in einem strahlenden Aufblühen der Kunst aufgeht. Von Bellini bis zu Tintoretto traten die großen Venezianer genau zu dem Zeitpunkt auf den Plan, als ihre Zeitgenossen noch einen Sinn für das Heroische hatten und gleichzeitig eine Sehnsucht danach, das Leben zu verschönern.

Bald jedoch veränderte der Hang zur Sinnlichkeit den religiösen Geist und die starken Leidenschaften; bald gab es keine Siege mehr zu rühmen, keine prunkhaften Triumphzüge mehr zu veranstalten, und auch nicht mehr diese großartigen Inszenierungen, wie sie Veronese gemalt hatte. Das waren glänzende Festmähler, bei denen die Gäste Zimarras mit Fibeln trugen, mit goldenem und silbernem Geschirr bedient wurden und von Pagen, Hofnarren und Windhunden umgeben waren,

144. *Capriccio eines Treppenaufgangs zu einem*
Palazzo führend, gegen 1750.
Öl auf Leinwand, 101,6 x 147,3 cm.
Arundel Castle, Arundel.

145. *Capriccio mit einer Kirche*, gegen 1750.
Öl auf Leinwand, 100,3 x 146,1 cm.
Arundel Castle, Arundel.

mit all dieser luxuriösen Ausstattung des venezianischen Patriziats. In diesem Moment erschienenen die hübschen Meister des 18. Jahrhunderts. Weit davon entfernt, eine durch zu große Anstrengungen erschöpfte Schule zum völligen Zusammenbruch zu führen, schufen sie in gewisser Weise eine Kunst von kurzlebiger Neuheit. Wenn sie auch keinen überragenden Stil anstrebten, als sie sich von den Szenen aus dem wirklichen Leben inspirieren ließen und die Schönheit der sie umgebenden Gebäude wiedergaben, so wussten sie doch eine gewisse Lebensfreude zu zeigen.

Die Werke von Canaletto, Francesco Guardi und auch von Longhi vermitteln eine Illusion der Wirklichkeit. Ihren Bildern ist es zu verdanken, dass auch heute noch ein getreues Abbild dieser übermütigen Stadt zu sehen ist, die jeden Tag so unbesorgt einen weiteren Schritt auf ihren Niedergang hin machte. Viele haben Venedig nie gesehen und glauben, es dank dieser Bilder zu kennen. Alle diese Maler haben fast im gleichen Maße wie die größten Meister zum Ruhm ihrer Heimat beigetragen. Sollte diese wunderbare Stadt, die, weil sie wie die Göttin aus dem Schaum des Meeres aufzusteigen scheint, in einem Lied der Gondoliere mit der Venus verglichen wird, je untergehen, sollten die Architekturen je in den Wogen der Adria versinken, dann bliebe von ihr dank der Bilder und Drucke von Canaletto und seinen Zeitgenossen mehr als nur die Erinnerung.

---

146. *Venedig, Markusdom,*
Fensterkreuz und das Nordquerschiff
mit singenden Musikanten, 1766.
Feder, Tinte und Tusche, 47 x 36 cm.
Hamburger Kunsthalle, Hamburg.

[1] Nachzulesen in „*Mémoires and Anecdotes of Painting in England*" von Horace Walpole, der Canalettos Ankunft in London 1748 erwähnt. Er spricht auch vom Verkauf in London von zwei sehr schönen venezianischen Veduten Antonio da Canals, für die 525 Pfund, das entspricht einer Summe von über 13000 Francs, gekauft wurden. Horace Walpole selbst hatte ein sehr schönes venezianisches Gemälde von Canaletto erworben, das sich heute in einer Privatsammlung in England befindet. Er besaß ebenfalls eine bewundernswerte Innenansicht des King's College in Cambridge, wir wissen allerdings nicht, wo sich dieses Werk heute befindet. Walpole hatte das Werk, das fälschlicherweise Bellotto zugeordnet wurde, selbst bei Antonio da Canal in Auftrag gegeben.

[2] Der Porträt-, Historien- und Perspektivmaler Giovanni Colombini war ein Schüler von Sebastiano Ricci. Von ihm wissen wir nur, dass er 1774 starb.

[3] Marieschi, geboren in Venedig 1711, starb dort 1773.

[4] Dieses Sammelwerk ist Marc de Beauvau, dem Prinzen von Craon, gewidmet.

[5] Antonio Visentini kam 1689 zur Welt und starb 1782.

Io Zuane Antonio da Canal, Hò fatto il presente disegnio delli Musici che Canta nella Chiesa Ducal di S. Marco in Venezia in età de
Anni 68 Cenzza Ochiali, Lanno 1766.

Bibliografie

ALGAROTTI, Francesco, *Opere. Cremone*, 1778.

DALL'ACQUA, Antonio-Carlo, *La Venezia del Canaletto e la Venezia del Longhi*, 1893.

DUPLESSIS, Georges, *Histoire de la gravure*, Paris, 1880.

Gemeinschaftswerk, *Encyclopedia of Painters and Paintings*, New York.

LANZI, Luizi, *Storia Pittorica delia Italia*, Florence, 1792.

LE BLANC, Charles, *Dictionnaire des peintres. École vénitienne*, Paris, 1873.

LE BLANC, Charles, *Manuel de l'amateur d'estampes*.

MEYER, Rudolph, *Den beiden Canaletto*, Dresden, 1877.

MOUHEAU, A., *Antonio Canaletto*, Paris, 1894.

RICCI, C., *L'Arte dell'Italia. Settentrionale in Ars una Speeies Mille*, Bergamo, Instituto italiano di Arti-Grafiche, 1913.

SIMONSON, G. H., *Francesco Guardi*, 1905.

TICOZZI, Stefano, *Dizionario degli Pitttori, Architetti*, 1830.

TIPALDO, Emilio (di), *Bibliographia degli Italiani Illustri del Secolo XVIII*, Venise, 1834-1845.

VESME, Baudi (di), *Le Peintre-Graveur italien*, Milan, 1906.

YRIARTE, Charles, *Venise, l'histoire, l'art, l'industrie, la ville, la vie*, Paris, 1872.

ZANETTI, Antonio-Marian, *Della Pittura Veneziana e delle Opere Pubbliche di Veneziani Maestri*, Venise, 1771.

Abbildungsverzeichnis